青燈有味似兒時
陸游句 念樓
《锺叔河集·儿童杂事诗笺释》
EX-LIBRIS

儿童杂事诗笺释

锺叔河集

The collected works of Zhong Shuhe

8

儿童杂事诗笺释

岳麓書社·长沙

我的杯很小，但我用我的杯喝水。

——缪塞

著者说明

《儿童杂事诗笺释》，一九九一年文化艺术出版社初次印了三千册，书名《周作人丰子恺儿童杂事诗图笺释》。一九九九年中华书局再度印行，三次共印了三万册。二〇〇五年更定书名为《儿童杂事诗笺释》，改由岳麓书社印行了一万册。二〇一一年安徽大学出版社第四次印行了六千册。二〇一七年海豚出版社第五次印行了一万册。同年六月，香港商务印书馆从“海豚”取得代理授权，又在香港印行了繁体字直排本。

《儿童杂事诗》原诗七十二首，分《儿童生活诗》《儿童故事诗》《儿童生活诗补》三编，一九四七至一九四八年间，周作人作于南京狱中；一九五〇年二月至五月，在上海《亦报》上逐日连载，丰子恺为之作画，署名“东郭生作诗/丰子恺插图”。

笺释始作于一九八九年秋，每次印前均有修改；“海豚”版本是“最终增订版”，此次收入《锺叔河集》，仍作了必要的补正。

周诗均据手迹，异文择善而从，并将一九五〇年二月和一九六六年八月两份亲笔写本全文影印作为附录。丰画原作找寻不得，便只能据《亦报》原图原样复印了。

二〇一〇年五月十日　锺叔河

［图一］《亦报》上的诗和图

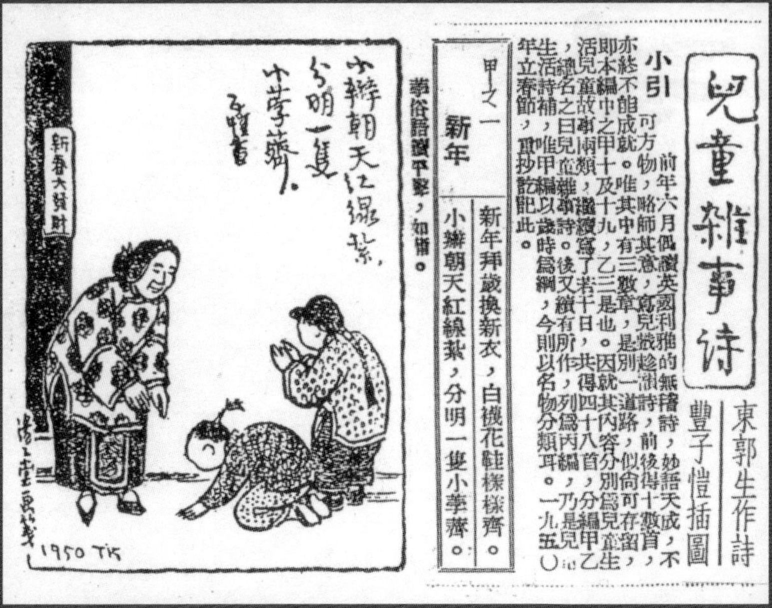

兒童雜事詩

東郭生作詩

豐子愷插圖

小引

前年六月偶讀英國利雅的無稽詩，妙語天成，不可方物，略師其意，寫兒戲趁韻詩，前後得十數首，亦終不能成就。唯其中有三數章，是別一道路，似尚可存留，即本編中之甲十及十九，乙三是也。因就其內容分別爲兒童生活兒童故事兩類，繼續寫了若干日，共得四十八首，分編甲乙，總名之曰兒童雜事詩。後又續有所作，列爲丙編，乃是兒[illegible]生活詩補，唯甲編以歲時爲綱，今則以名物分類耳。一九五〇年立春節，取抄訖記此。

甲之一 新年

新年拜歲換新衣，白襪花鞋樣樣齊。

小辮朝天紅線紮，分明一隻小荸薺。

薺俗讀平聲，如嚌。

（上）一九五〇年二月二十三日上海《亦报》首刊《儿童杂事诗》

（右）“英国利雅的无稽诗”原插图之一，图下两处英文可中译为：

爱德华·利雅年七十三岁半

他的猫福斯年十六岁

（左）文化艺术出版社·一九九一

（下）中华书局·一九九九

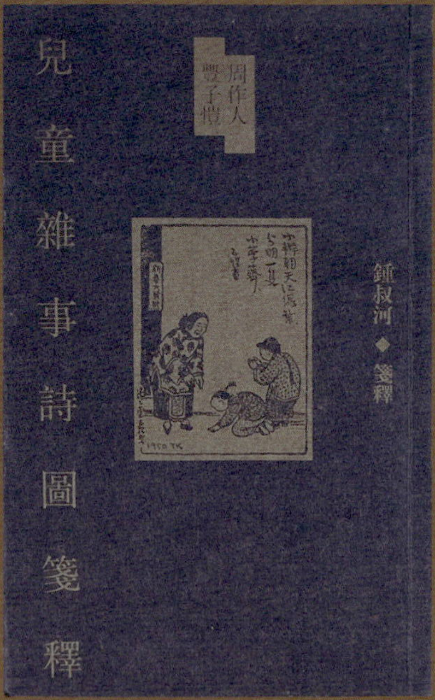

〔图二〕『文化』版和『中华』版

［图三］『岳麓』版和『安大』版

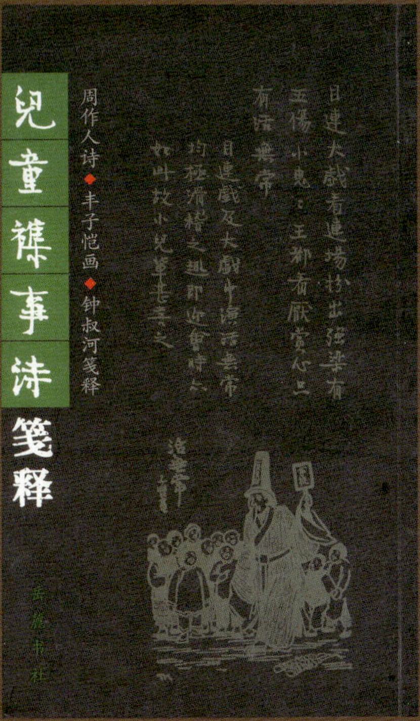

（上）岳麓书社·二〇〇五

（右）安徽大学出版社·二〇一一

[图四]『海豚』版和『香港』版

（上）海豚出版社・二〇一七

（左）香港商务印书馆・二〇一七

（右）胡乔木一九九二年一月十八日来信：“祝你在编的《知堂文化论集》取得成功。”

（下）黄裳一九九二年五月十九日来信：“去冬乔木来沪，一次谈天，谈及周作人，他自称为‘护法’，并告当年岳麓呈请重刊周书事，最后到他那里，他不顾别人反对，批准的。谈来兴趣盎然。”

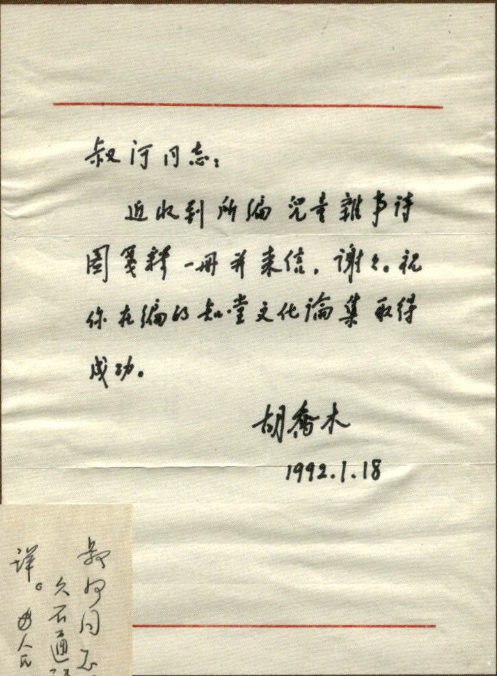

叔河同志：

近收到所编儿童杂事诗图笺释一册并来信，谢谢。祝你在编的知堂文化论集取得成功。

胡乔木

1992.1.18

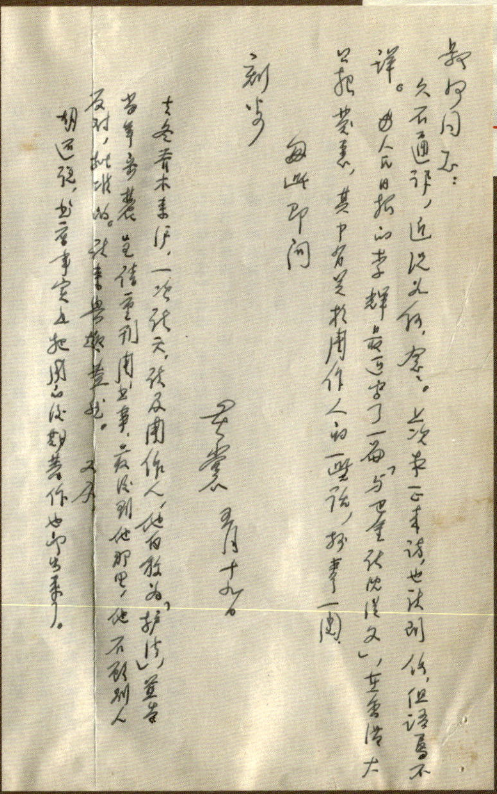

叔河同志：

久不通讯，近况如何，念念。上次来示未读，也该到你，但语焉不详。[illegible]人民日报的李辉最近写了一篇[illegible]，在香港大公报发表，其中有关于周作人的一些话，[illegible]一阅。

匆此即问

刻安

黄裳 五月十九

去冬乔木来沪，一次谈天，谈及周作人，他自称为“护法”，并告当年岳麓呈请重刊周书事，最后到他那里，他不顾别人反对，批准的。谈来兴趣盎然。又及

[illegible]

［图五］胡乔木和黄裳的信

[图六] 儿童发式／老鼠嫁女

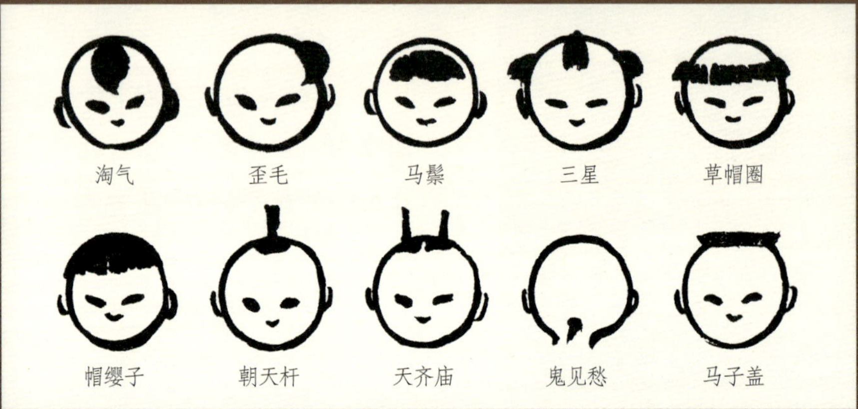

（上）李滨声《旧时京城儿童发式考》附图（参看《甲之一 · 新年拜岁》）

（下）楚南滩镇新刻老鼠娶亲全本（参看《丙之一 · 八大锤》）

（右）周作人《自己的园地·歌咏儿童的文学》一文中采用了竹久梦二的画作插图（参看《乙之八·敲针作钓钩》）

（左）日文原本《歌咏儿童的文学》

【图七】竹久梦二画小孩

（左）苏州桃花坞年画《十怕妻》
（下）天津杨柳青年画《滚红灯》
（下左）四川民国年画《妻打男》
（参看《丙之三·滚灯》）

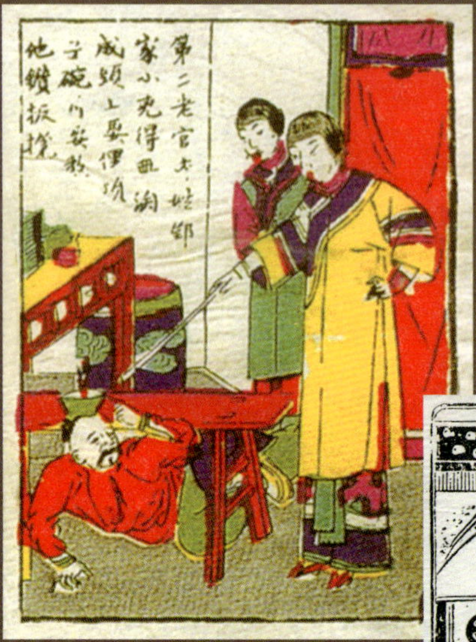

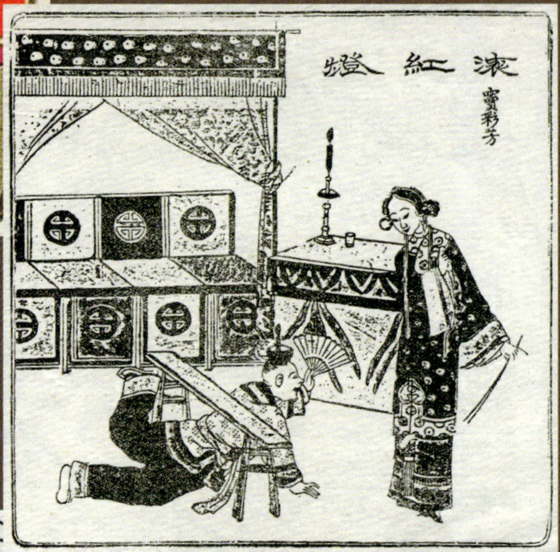

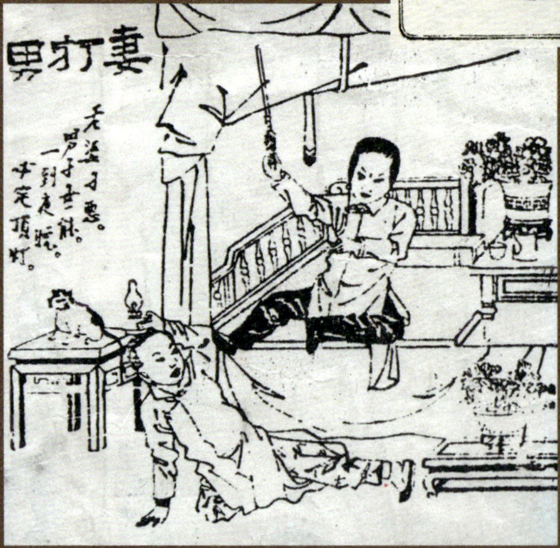

［图八］《滚灯》花纸三种

目　录

・乙编・儿童故事诗・

·丙编·儿童生活诗补·

·图版目录·

笺释者言

[一] 初版前言

一九五〇年在湖南报社，偶见上海《亦报》载《儿童杂事诗》，署名为东郭生，有丰子恺插图，读而好之；然年未及弱冠，又忙于打背包下乡，无所谓私生活，匆匆不克辑存，亦不知东郭生之为谁也。丁酉年后，力佣为生，引车夜归，闭门寂坐，反得专心读书，因问 Rouse 所述希腊神话事，与译者周遐寿先生通信，始知东郭生即其笔名，重读《遇狼的故事》，为唏嘘久之。遂设法求得《亦报》剪报全份，“文化革命”，难得保全，前岁发愿为作笺释，上海陈子善、香港卢玮銮两君各以所藏见示，始得以复制，岂非文字遇合，亦有前缘耶。年来以脑出血病废，写载道之文已无此力量，为言志之作又缺乏心情，唯以此遣有涯之生耳。牟陌人跋《蜂衙小记》引昌黎诗云，“尔雅注虫鱼，定非磊落人”。予历经坷坎，夏日秋风，意气销磨，形神俱敝，又何能磊落，何能作磊落人耶？周氏自称，“这一卷所谓诗，实在乃只是一篇关于儿童的论文的变相”；又云，

“以七言四句歌咏风俗人情，本意实在是想引诱读者进到民俗研究方面去，从事于国民生活之史的研究，此虽是寂寞的学问，却于中国有重大的意义”。常见有人慨叹文艺大家殊少为儿童创作，又每论及民俗研究之少成绩，此诗此画，或亦稍有助于风气之重开。予失学少读书，笺释本不易；然“油炸鬼”“淡竹”“路路通”“滚灯”诸条，虽不敢自云覃研钻极，亦可谓已尽心尽力搜寻。盖生为中国人，虽惭磊落，而于吾土吾民之过去现在及未来，实未能忘，亦不敢忘也。丰画未必尽嗛周氏之意，但时逢解放，仍肯为此诗插画，即足证诗之价值；而相得益彰，在为儿童与为学术两方面，画亦与诗同臻不朽矣。予之笺释得附骥以传，自以为虽搁笔不再为文，亦可以无憾云。

周丰一、丰一吟两君支持笺释出版，为之作跋，并志谢意。

一九九〇年四月，锺叔河于长沙。

［二］再版题记

《儿童杂事诗笺释》始作于一九八九年秋冬之间，时情绪极差，交付出版社时的《笺释者言》有云：“写载道之文已无此力量，为言志之作又缺乏心情，唯以此遣有涯之生耳。……盖生为中国人，虽惭磊落，而于吾土吾民之过去现在及未来，实未能忘，亦不敢忘也。”此即我当时发愿作笺释的原因，当然要得到理解也难，来买书的人，也许只是见到画儿有趣，或者因为印得也还别致，才破费买它一本看看的吧。故而文化艺术出版社只印三千本，之后即未重印。转眼七八年过去，当年热心支持我做这件事的周丰一先生，已于一年前离开这个世界。我亦年近七旬，居高楼绝少履平地，越来越感到寂寞。《广阳杂记》云："十九首曰，不惜歌者苦，但伤知音稀。非但能言人难，听者正自不易也。"读之不禁悲从中来矣。

笺释后来又得到了些可补充的材料，初版亦有数处阙误，中华书局有意重印，因为修订付之，并题记如上。

一九九八年十一月记于长沙城北之寓楼，锺叔河。

[三] 四版前言

今天是农历庚寅年除日，《藏书报》上杨小洲介绍嘉德拍卖会"旧时月色"专场，一幅周作人《儿童杂事诗》条幅，拍到了三百多万元。杨君因而感叹道："藏家求姿色求品相，还求旧时月色里的一怀情绪，这是否可视作文化价格涨到几百万则未可知也。"

杨的话引起了我的回忆。一九六三年十一月二十四日，在长沙拖板车的我写信给周作人，讲完要讲的话以后，还"求先生为我写一条幅"。很快便收到了二十九日从北京新街口八道湾十一号寄来的回信，信中说："需要拙书已写好寄上，唯不拟写格言之属，却抄了两首最诙谐的打油诗，以博一笑。"

这两首诗，便是《儿童杂事诗》甲之十和十一，亦即是书中的《书房小鬼》和《带得茶壶》两首。嘉德拍卖会上拍得三百多万元的是哪几首呢？打电话问杨小洲，手机通了却没人接，连续几次都是如此，暂时只好存疑。

遗憾的是，周氏赠我的条幅，“文化大革命”避祸转移时所托非人，被隐匿占有了。但我想他还不至于敢拿去拍卖，因为条幅题有上款，我的子女和年轻的朋友们总会注意着它的。

报上的新闻，我家的旧事，都可以说明，周氏的作品，包括他的诗和他的字，确实会有人喜欢，确实有欣赏价值。周氏的“嘉孺子”——替儿童着想，为儿童创作，也确实是他思想上和文字上的亮点，而《儿童杂事诗》七十二首即其代表作。这一点，不必等到“旧时月色”专场，在四十八年以前，我就这样认为了。

《儿童杂事诗》的价值虽然是永恒的，但它写的却是过去的儿童生活和儿童故事，语言文字用的也是过去式，今天的读者未必都熟悉；方言和习俗，异时异地的人，有时也会感到陌生，笺释就成为必要了。故我在二十多年前即发愿做这件事，但笺释亦不容易，成书后三次印行，每次都有或多或少的修改。这次改得更多，改掉了原来大字直行的版式，字数增加了，内容也作了比较多的补充。

周作人诗原来只影印一九六六年的写本，手写繁体字和不规范的省笔，读者或者会更难认识。此次便在影印手迹的同时，将全文和笺释都改用简体字横排，以便阅读。

出版社要我为《笺释》新版写篇前言，正好看杨小洲文有些感触，便匆匆写下了这样的一篇。

二〇一一年二月二日，锺叔河于长沙城北之念楼，时年八十岁。

［四］五版说明

本书初版于一九九一年由文化艺术出版社印了三千册，二版于一九九九年由中华书局三次共印了三万册，三版于二〇〇五年由岳麓书社印了一万册，四版于二〇一一年由安徽大学出版社印了六千册。每次更换出版社的原因，都是由于笺释要修订，图文要改版。

此第五版增订尤多，例如：甲十二《立夏》初版笺释说，淡笋“是生长药材‘淡竹叶’的淡竹所发出的笋”。新版则指出初版这说法“是完全不对的”，淡竹叶并非淡竹之叶，而是另外一种不同的植物。“淡竹为禾本科竹亚科七十五属千二百多种木本竹类中的一种，高可达十二米，为笋材两用竹”；淡竹叶则不属于竹亚科，乃是“禾亚科淡竹叶属的一种草本植物，高仅数十厘米，根本不会发笋”。

对七十二首诗进行笺释，是本书的主体。每首诗只有二十八个字，笺释初版每则平均三百五十字；二、三版虽有些修订，字数却无增减；第四版改为小字横排，每则笺释的平均字数，增加到了七百多字；此第五版则不仅有增，而且大改，如今每则平均已达千字，差不多是原来的三倍了。

此版的图文版式也做了很大改动。一是附印了周作人一九五〇年二月和一九六六年八月两件自抄本手迹，弥足珍贵。第四版附印的一九五四年一月的写木，系复印香港崇文书店一九七三年影印本，这次便将它换去了。写本偶有异文，《亦报》

所刊则颇有删削，笺释主要用的是一九六六年的写本，但也参用了一九五〇年的写本。二是丰子恺插图原作已佚，存世的只有一九五〇年二月二十三日至五月六日刊登在《亦报》上的六十九帧锌版图，初版勉强将其放大，反而失真难看，现在按《亦报》原图原大复制，“缘缘堂画笺”《亦报》制版时只保留内框，现在则现出了全貌，看起来顺眼得多了。

此版笺释能做成这个样子，多因得刘毅强、吴浩然、罗东波和李缅燕诸君之热心相助，当然更是因为有海豚出版社俞晓群、杨小洲两君青及，谨在此表示对他们的感谢。

二〇一六年四月一日，锺叔河时年八十又五岁，作于长沙念楼。

儿童杂事诗序

【原文】 今年六月偶读英国利亚(Ed. Lear)的诙谐诗，妙语天成，不可方物，略师其意，写儿戏趁韵诗，前后得十数首，亦终不能成就。唯其中有三数章，是别一路道，似尚可存留，即本编中之甲十及十九又乙三是也。因就其内容，分别为儿童生活儿童故事两类，继续写了十日，共得诗四十八首，分编甲乙，总名之曰儿童杂事诗。我本不会做诗，但有时候也借用这个形式，觉得这样说法别有一种味道，其本意则与用散文无殊，无非只是想表现出一点意思罢了。寒山曾说过，“分明是说话，又道我吟诗”。我这一卷所谓诗，实在乃只是一篇关于儿童的论文的变相，不过现在觉得不想写文章，所以用了七言四句的形式，反正这形式并无什么关系，就是我的意思能否多分传达也没有关系。我还深信道谊之须事功化。古人云，为治不在多言，但力行何如耳。我辈的论或诗，亦只是道谊之空言，于事实何补也。

三十六年丁亥八月五日，知堂记于南京。

【笺释】 利亚(Edward Lear，1812—1888)通译作李尔、利尔，周作人有时又写作利雅、理亚。

《不列颠百科全书》国际中文版(1999)称利尔为“英国风景画家，以写打油诗闻名”，将 Nonsense Poetry 译作“打油诗”。一九二二年周作人评介《阿丽思漫游奇境记》，文中提到利亚的“没有意思的诗”，是按照字面直译。一九五〇年《儿童杂事诗》首刊《亦报》时称之为“无稽诗”，一九五〇年二月和一九六六年八月的两个写本（均见附录），又称之为“诙谐诗”。一名之立，垂四十年，真不容易。(一九八七年第九期《读书》吕叔湘文称“谐趣诗”。)

使利亚“闻名”的代表作 *A Book of Nonsense*，《知堂回想录》一六〇节译作《荒唐书》。书中的第一首诗，周氏的译文是：

> 那里有个老人带着一部胡子，
> 他说，这正是我所怕的，
> 有两只猫头鹰和一只母鸡，
> 四只叫天子和一只知更雀，
> 都在我的胡子里做了窠了！

利亚的原文是：

> There was an Old Man with a beard,
> Who said, “It is just as I feared!—
> Two Owls and a Hen,
> Four Larks and a Wren,
> Have all built their nests in my beard!”

二〇一一年陆谷孙出版了它的全译本《胡诌诗集》，陆氏所译的这一首则是：

有个老头蓄胡须，

他说“果如我所虑！——

胡须一长引来鸟作巢，

鸡婆之外两老鸦，

还有四只雀儿加鹪鹩。”

周作人对利亚的“没有意思的诗”的赞赏，而且“略师其意”来作《儿童杂事诗》，其初心具见于《阿丽思漫游奇境记》这篇文章。在文中他引 Pitt 的话：“你不要告诉我说一个人能够讲得有意思；各人都能够讲得有意思。但是他能够讲得没有意思么？”又引 De Quincey 的话：“只有有异常的才能的人，才能写没有意思的作品。”然后说道：“儿童大抵是天才的诗人，所以他们独能赏鉴这些东西，如《古今风谣》里的‘脚驴斑斑’，以及‘夹雨夹雪冻死老鳖’一类的趁韵歌……就儿童本身上说，在他想象力发展的时代确有这种空想作品的需要……对于精神的中毒，空想——体会与同情之母——的文学正是一服对症的解药。”

《丙戌岁暮杂诗·打油》有云：“偶尔写一篇，大有打油气。平生怀惧思，百一此中寄。”自称都是为了寄托悯时伤事的“惧思”，有时“掐臂至见血”，有时“摇头作游戏”，“骗尽老实人，得无多罪戾。说破太行山，亦复少风趣”，这便当然不会是什么“没有意思的诗”，不会是“写给儿童看的”了。

甲编 · 儿童生活诗

甲之一・新年拜岁

【原诗】 新年拜岁换新衣，白袜花鞋样样齐。
小辫朝天红线扎，分明一只小荸荠。

【原注】 荸俗语读如“蒲”，国语读作“毗”，亦是平声。

【笺释】 甲编之一、二、三这三首原来都题作“新年”，其实却是分咏拜岁、压岁钱、下乡作客，而此首只咏拜岁，为了避免笼统，今在题后加“拜岁”二字。

“拜岁”乃绍兴方言。范寅《越谚》中卷风俗部：“拜岁，即贺新年也，亲朋往还，设筵燕欢，男女雇工各给赏。”

《鲁迅的故家·百草园》三十八，说“老寿先生”元旦次日来回拜，穿着前清的袍套，手里拿着一叠名片，在堂前大声说道：“寿家拜岁。”

贺新年在别处则称作“拜年”。民国《北京市志稿·礼俗志》引让廉《京都风俗志》未刊存稿，记述清末民初时北京市民拜年的情形：“正月初一日子时后，家家长幼先诣神佛前焚香叩拜……次，设奠于先人祠堂；礼毕，家长登堂，众人依序相率拜贺，老幼互作庆祝语……黎明，人易新服，以待宾客……士商往来拜谒，或登门投刺，谓之拜年。”

一拜神佛，二拜祖宗，三拜长辈，四拜亲朋：这便是新年拜贺的程序，北京如此，各地亦莫不如此。

周作人“年纪比较要小两三岁”的族叔周冠五(观鱼)，写有《回忆鲁迅房族和社会环境三十五年间(一九〇二至一九三六)的演变》附录《绍兴的风俗习尚》。述绍兴老家的拜岁，也是“先向天地神祃行过礼，次财神，次张神(锺按：据《越谚》中卷神祇部，张神即‘张大明王’)，再次灶神，最后拜祖宗的悬像(锺按：即是悬挂起来的祖宗画像)，依次拜毕，家庭间自长辈起由大而小地分别拜岁”；外出拜岁乃“新年中必须要做绝对不可能少的场面”，亦只能在此以后了。

《儿童杂事诗》以儿童为本位。在儿童心目中，新年感兴趣的当然有新衣、白袜、花鞋，更欢迎的还有吃食和压岁钱，这便与拜年和长辈联系起来了。丰子恺在插图中所画出来的老年妇女，着花衣，戴头饰，系长裙，全副节日装束。小孩子向她跪拜行礼，她则微微弯腰，伸手作搀起态，一副长辈模样，正是世间的老祖母，给人的感觉很温馨，很吉祥。那衣上的花样，《绍兴的风俗习尚》说，叫作“十盆头”，乃是“白色缎子绣五彩花的圆形，像粉扑那么大的十个东西”；但从图上看，“粉扑那么大”的图案似不止十个，那么“十”只是举其成数而已。

图中双膝跪下的小孩，“小辫朝天红线扎”，圆圆小脑袋上伸起一簇小辫尖，真有点像“一只小荸荠”，十分可爱。

古时候常人不剃头，儿童生而垂发(髫)，发长后扎在一起叫总发，分为两起叫总角，成年后才束发加冠。到了清朝都留辫子，小孩的发式更多了，李滨声《旧时京城儿童发式考》插图有“朝天杆”一式，即“小荸荠”也，请参看卷前图页。

甲之二·压岁钱

【原诗】 昨夜新收压岁钱，板方一百枕头边。
大街玩具商量买，先要金鱼三脚蟾。

【原注】 大钱方整者名曰“板方”。金鱼等物皆用火漆所制，每枚值三五文。

【笺释】 本首为“新年二”，今题作“压岁钱”。

吴曼云《江乡节物词·小序》：“杭俗，儿童度岁，长者与以钱，贯用红，置之卧所，曰压岁钱。”蔡云《吴歈百绝》之九注：“除夜将睡，以钱置小儿女枕边，名压岁钱。”

这里说的是苏杭两地风俗，绍兴则或则放在枕边，或则直接发给。鲁迅《朝花夕拾·阿长与〈山海经〉》：“辞岁之后，从长辈得到压岁钱，红纸包着，放在枕边，只要过一宵，便可以随意使用。”周建人《鲁迅故家的败落》第十节记儿时除夕：“吃过年夜饭，我们在守岁的大红烛底下玩耍了一会，拿到压岁钱，便睡觉了。”似乎两种情况都有。

压（押）岁钱发给的对象和方式，会因时因地有所不同。《红楼梦》里“宁国府除夕祭宗祠”后，“两府男女小厮丫环亦按差役上中下行礼毕，然后散了押岁钱并荷包金银锞等物，摆上合欢宴来”；对象是小厮丫环，那便当堂散发，更不会给放在他们枕头边了。清末敦崇《燕京岁时记》则说：“以彩绳穿钱，编作龙形，置于床脚，谓之压岁钱。”则又是另一种方式。

《鲁迅的故家·分岁》中说：压岁钱“最大的数目不过是板方大钱一百文而已”。此不仅远逊贾府的“荷包金银锞”，比起如今送领导家孩子的红包动辄上万元，更是天隔地远。

火漆所制金鱼三脚蟾，其实并不止“每枚值三五文”。《自己的园地·要货》(笺释引周氏本人著作均不署名，下同)云：“可以在从轩亭口至大善寺的路上发见一两摊做火漆货的。我还记得，青蛙六文，金鱼八文，三脚蟾十二文……”

三脚蟾是一种传说中的动物，古书中也有言之凿凿的。陆友仁《研北杂志》云，曾得枯者于货药担上，乃一躯壳实之以木屑，三足特长如尾而有距。刘献廷《广阳杂记》：“马子腾云，陕西边西番一路，西宁庄浪等处，多三脚蟾蜍，其胶可软玉如泥。西番取蟾蜍，将眉割开，其酥皆成块者，不待和合晒晾也。”俞樾《茶香室三抄》引《杂记》后案曰：“世言三脚蟾蜍天下无有，观此乃知竟有之也。”其实却是在以讹传讹，古时读书人习惯以书本作依据，不肯去观察研究自然，此亦一例。

传说中的动物可以娱乐儿童，却不合乎常识。《木片集·孙仲容论动物》一文，引孙氏《籀廎述林·与友人论动物学书》，谓中国古籍稽核物性殊为疏阔，“今动物学说诸虫兽，有足者无多少皆以偶数，绝无三足者”。因谓：“儿时玩火漆做的要货，有绿色的三脚蟾，看惯了没有什么，但是一经说明，觉得这也是不会有的。”孙诒让毕竟是到了二十世纪的人，观点比起前人来是进步了。

甲之三·下乡作客

【原诗】　下乡作客拜新年，半日猴儿着小冠。
待得归舟双橹动，打开帽盒吃桃缠。

【原注】　新年客去，例送点心一盒置舟中。纸盒圆扁，形如旧日帽盒，俗即以纸帽盒称之。合锦点心中以核桃缠、松仁缠为上品，馀亦只是云片糕、炒米糕之类而已。

【笺释】　本首原为“新年三”，改题“下乡作客”。

《亦报随笔·拜年看游记》：“小时候往亲戚家拜年，往往要费好几天工夫。例如祖母家，母亲家，姑婆一家，姑母两家，都在乡下，去时须坐船，总有五七十里的水程，早去晚归，白天短的时节已是漆黑，要拿了灯笼下船步来了。有时便开夜船，早上到一家，只吃点心，中午又到一家，吃了饭下船，次早再往别家去，可以从容地回家来。无论怎样走法，反正至少是一整天……”

《拜年看游记》接着写道：“拜年照例要戴胡人的红缨帽，装在皮帽盒里。”这“胡人的红缨帽”，即是满清时通行的带红缨的礼帽，亦即是“半日猴儿着小冠”的小冠。“猴儿”则是好动的小孩的谑称，周氏所译英国劳斯（Rouse）著《希腊的神与英雄》中说过：“我常看见小孩们很像那猴子，就只差那一条尾巴。”

“猴儿着小冠”不会舒服，好在一整天不至于都呆守在亲戚家，所以充其量不过半日受拘束，“待得归舟双橹动”，便仍然回到了自己的世界，可以“打开帽盒吃桃缠”了。

这装桃缠的为纸帽盒，它并非装红缨帽的皮帽盒，而是一种纸质的点心盒，也就是原注中所谓“合锦点心”，从商店里买来现成装好的。观鱼《回忆鲁迅房族和社会环境三十五年间(一九〇二至一九三六)的演变》记幼时偕鸣山、启明、乔峰往德姑太太家作客，“晚间她每天每人给我们一个线帽盒(是绍地合锦茶食的名称)，备夜间的充饥”。(启明即周作人，乔峰即周建人。)《绍兴的风俗习尚》介绍婚嫁时女家接待男家行郎的场面：“什锦茶食，俗称纸帽盝，每人两盒。”盝，音 lù，古人放首饰、印玺的匣子。《正字通》：“今人以椟匣小者为盝。”周作人日记庚子三月廿七日：“下午小皋步遣人来，交来茶叶、蛋糕、茯苓糕等二茶盒。”纸帽盒、线帽盒、纸帽盝、茶盒、合锦点心、什锦茶食，都是同一种内装点心的圆扁纸盒而异其称。

《木片集·南北的点心》：“南方茶食中有些东西是小时候熟悉的，在北京都没有，也就感觉不满足，例如糖类的酥糖、麻片糖、寸金糖，片类的云片糕、椒桃片、松仁片，软糕类的松子糕、枣子糕、蜜仁糕、橘红糕等；此外有缠类，如松仁缠、核桃缠，乃是在干果上包糖，算是上品茶食，其实倒并不怎么好吃。”所说的核桃缠，诗中简称“桃缠”。“缠”系记绍兴音，长沙话念作“占”。过去有一种叫做“麻占”的零食，据云系将糕饼碎屑混合，滚成指头大圆粒，再沾上些糖霜和芝麻制成，却只能与条子糕之类为伍，我们做小学生时并不怎么看得起它的。

甲之四·上元

【原诗】 上元设供蜡高烧，堂屋光明胜早朝。

买得鸡灯无用处，厨房去看煮元宵。

【笺释】 农历正月十五为上元，通称元宵，乃是儿童过新年游戏活动最后的高潮，其主要特色则是灯火。长沙过去有儿歌，“三十夜里火，元宵夜里灯，十五十六玩龙灯”，充分说明了灯火元宵的热闹。

《儿童杂事诗跋》云，友人们觉得“儿戏部分遗漏太多……过年这时节还有许多事可记，特别有趣味的是看灯头（火）”。其实这一首也写了“堂屋光明”，此即与点灯烧烛有关，还有买鸡灯、煮元宵，都是应时节的事。

观鱼《绍兴的风俗习尚》述上元风俗：“到上灯夜(正月十三日)再重新点烛上香，烛也比以前大一点。香烛之外还要供‘灯元’，又名‘元宵’，亦称‘打大’，是有馅的大汤团(锺按：本书后来又介绍说，系用豆沙和生猪油、白糖、松仁、桃仁为丸作馅，在糯粉中滚拌而成)，每像位供一碗，每碗两个或三个，于这之外，还把像前原供着的高茶一律撤去，换上‘水茶’（所谓‘水茶’实际并没有水，是把刨皮甘蔗切成短节，一绺绺地撕开和金橘荸荠混合着放在莲子盅里，每一像前供一盅，这就是‘水茶’），另外还把原供着的一切花脱高盘(包括枝圆桃枣、九云锣)也都一律撤除，换成十六平盘，是四蜜饯……四水果……四茶食……二点……二干果……从十三晚起至十五晚止供三天撤去，在这三天之中每晚都须点香烛和供元宵……”这时还特别说明，上供所点“烛也比以前大一点”。

绍兴的上元灯火自古有名。《嘉泰会稽志》：“元宵前二后三夕，比户接竹棚悬灯，朱门华屋，出奇炫华，豪奢相矜。”可见宋时绍兴的灯即已十分热闹。《陶庵梦忆·绍兴灯景》：“绍兴灯景为海内所夸者无他，竹贱灯贱烛贱，贱故家家可为之，贱故家家以不能灯为耻，故自庄逵以至穷檐曲巷，无不灯无不棚者。”三百年过去了，观鱼所记“点起白纸糊的一盏大方灯，灯面上满粘着上写‘谜面’，下注应该‘打’什么和‘打’中后的奖品的条子”，和张岱文中“搭木棚挂大灯一，俗曰‘呆灯’，画《四书》《千家诗》故事，或写灯谜，环立猜射之”，至今仍然没有多大区别。当然这些都不是儿童的娱乐，他们感兴趣的只是嬉花灯吃元宵罢了。

“鸡灯”这个词语，普通话和长沙话里都没有，只好向宁绍人请教。承劳祖德（谷林）先生函告：“绍兴小儿所嬉花灯，用篾扎成，外糊红绿纸，中点小烛，有荷花灯、兔灯、鸡灯诸名目，各肖形状。绍俗，正月十四夜照蛇虫，两小儿一提花灯，一执被笏（晾棉絮时拍打用，藤条制），歌云：‘十四夜，照蛇虫；蛇虫有，把打杀；蛇虫没，把踏杀；呵叱呵叱，赶到茅山吃草去。’照蛇虫特于屋角暗陬，十五夜堂屋光明，花灯遂无用矣。”“买得鸡灯无用处”这句诗，在此也得到了解释。

插图中两个小孩高高举起“厨房去看煮元宵”的，便是两盏“各肖形状”的鸡灯。

甲之五·风筝

【原诗】 鲇鱼飘荡日当中，胡蝶翻飞上碧空。
放鹞须防寒食近，莫教遇着乱头风。

【原注】 鲇鱼胡蝶皆风筝名，俗称曰“鹞”，因风筝作鹞子形者多也，小儿则重叠其词呼之曰“老鹰鹞”。

【笺释】 春日放风筝是儿童喜欢的游戏，它的历史很是悠久。明陈沂《询刍录》：“五代汉李业于宫中作纸鸢，引线乘风为戏；后于鸢首以竹为笛，使风入作声，如筝鸣，俗呼风筝。”明郎瑛《七修类稿》：“纸鸢，本五代汉隐帝与李业所造……俗曰鹞子……”曰鸢曰鹞，可见它本来是因鸟而得名的玩物。

至于风筝，则原指挂在殿阁檐下风时作声如筝的金属片，也是古已有之的东西。唐人高骈《风筝》诗，咏的即是此物。李白《登瓦官阁》诗“两廊振法鼓，四角吟风筝”亦可证。

清顾张思《土风录》：“清明前后儿童竞放纸鸢，谓之鹞子，取其乘风高扬也；或作鹰隼形，呼曰‘老鹰鹞’。”

放鹞是绍兴儿童早春二月顶喜欢的游戏，却牵涉到周家兄弟间一桩可以由小见大的往事。鲁迅《野草·风筝》：“我的小兄弟，他那时大概十岁内外罢，多病，瘦得不堪，然而最喜欢风筝……”这小兄弟即周建人，所作《鲁迅故家的败落》第十六节也说：“我对放鹞发生浓厚兴趣……我做的风筝特别精巧，都装上风轮(也叫风盘)，正面装有倒三角形的线，叫斗线，这样的风筝，不会在空中翻跟斗的。”

建人最喜欢的东西，鲁迅则以为这是“没出息孩子的玩艺”，曾经动手破坏小兄弟将要完工的风筝，“伸手折断了蝴蝶的一支翅骨，又将风轮掷在地下，踏扁了”，对他进行“精神的虐杀”。这件事情周建人后来并没有说到，不知是“弟为兄隐”呢，还是“他什么也不记得了”。（引号内均《野草·风筝》原文）

周建人在《鲁迅与周作人》一文中说过，“周作人从小性情和易，很好相处”，所以周作人似乎并未介入大哥哥和小兄弟之间的纠纷。而且从己亥、庚子年的日记看，他自己在十六岁以前也是个放鹞迷。己亥正月初九日遣章庆购熟桐油四两，走线一枚，显然是做风筝用。十三日作题天官风筝诗一首：“飘飘两腋觉风生，搔首看时识是君。满腹经纶皆在握，遍身锦绣尽成文。上天定有冲天翮，下世还为救世臣。自叹无能不如汝，羡君平步上青云。”这风筝可能即是他自己所做的。十八日，又购蝙蝠风筝一具，洋七分。廿六日,得一燕子鹞。廿七日，孙宅断一蝶鹞，连元得之。三十日，糊花篮风筝一具，旁注云，初一断去。二月初六日，又购花篮风筝一乘，洋二分八。初七日，购真鹰风筝一具，洋八分。十五日，粘鲇鱼风筝一乘，断去。庚子二月初一日，买八卦鹞一具，计洋一角五分。二月初五日，代嵩弟买鹞线四两，每两十八文。三月初四日，于园中得一蝴蝶鹞。

肯代弟弟买风筝线的周作人，当然不会“以为这是没出息孩子所做的玩艺”，更不会粗暴动手折断翅骨踏扁风轮的了。

乱头风，即旋风，放鹞时最怕的。

甲之六·上学

【原诗】　龙灯蟹鹞去迢迢，关进书房耐寂寥。
盼到清明三月节，上坟船里看姣姣。

【原注】　儿歌有云，正月灯，二月鹞，三月上坟船里看姣姣。弹词中犹有“美多姣”语。

【笺释】　本首题云上学，其实只写“龙灯蟹鹞”热闹过后被“关进书房”的儿童对“上坟”去的渴望，因为这总是亲近大自然的一个机会，容得些自由活动。第四句不过是趁韵，范寅《越谚》上卷《语言·谣谚之谚第七》有“游荡子轻薄谣”云：“正月灯，二月鹞(即纸鸢)，三月上坟船里看姣姣。”所云“游荡子轻薄”也绝不会是儿童的心理状态。

《药味集·上坟船》：“绍兴墓祭在一年中共有三次，一在正月曰拜坟，实即是拜岁；一在十月曰送寒衣，别无所谓衣，亦只是平常拜奠而已。这两回都很简单，只有男子参与，亦无鼓吹，至三月，则曰上坟，差不多全家出发。旧时女人外出时颇少，如今既是祭礼，并作春游，当然十分踊跃，儿歌有云，‘正月灯，二月鹞，三月上坟船里看姣姣’，即指此。‘姣姣’盖是昔时俗语，绍兴戏说白中多有之，弹词中常云美多姣，今尚存‘夜姣姣’之俗名，谓夜开的一种紫茉莉也。”

《鲁迅的故家·山头的花木》：“上坟时节顶高兴的是女人，其次是小孩们。从前读书人家不准妇女外出，其唯一的机会是去上坟……坐了山轿，到山林田野兜一个圈子，况且又正是三月初暖的天气，怎能不兴会飙举的呢？小孩们本来就喜欢玩耍，住在城市里的觉得乡下特别有趣，书房里关了两个月，盼望清明节的到来，其迫切之情是可以想象得来的。但他们的要求也只是游玩而已，乡下儿歌有云：‘正月灯，二月鹞，三月上坟船里看姣姣。’虽然说得很好，却是成人替他们做的，因为这不能说是儿童的本心。某处地方有俗谚云：‘花不如团子。’我觉得可以接续一句云：‘女人不如花。’这至少在上坟船里的小孩们是可以如此说的。”

团子是日本人常吃的米食，有如下江一带的糕米团。所谓某处地方，说的即是日本。

《亦报随笔·看姣姣的来源》则更进一步，不同意《越谚》把这首歌题作“游荡子轻薄谣”，谓娄子匡《越歌百曲》亦引此首，底下还有两句，“四月车水戴箬帽，五月太阳底下捉噶蚤”，讲的又是农夫的生活。然后说道：“我小时候是把这歌看作说儿童生活的，至今还保留这个成见。这里边没有多大轻薄成分，说农夫呢，到市镇去看灯头，蹲在田塍上看女人固然也可以，但放鹞却没有工夫，单是看看是没什么趣味的。所以我仍是维持我的意见，姣姣这字虽然不是真正方言，但因弹词中的美多姣，以及戏文里公子与帮闲的说白中常有姣姣的话，在民间也是很通行的了。”

姣姣这个语词，本只是对小孩的爱称，后来转作美貌女子的昵称，除吴越等地外，别处似很少使用。

甲之七·扫墓归来

【原诗】 扫墓归来日未迟，南门门外雨如丝。

烧鹅吃罢闲无事，绕遍坟头数百狮。

【原注】 百狮坟头在南门外，扫墓时多就其地泊舟会饮。不知是谁家坟墓，石工壮丽，相传云共凿有百狮，但细数之亦才有五六十耳。

【笺释】 原题“扫墓”诗共有三首，即本首和甲之八、九，现在则分别题作“扫墓归来”“映山红”“坐山兜”。本首写扫墓归来时，将船停泊在中途吃上坟酒的情形。

晚明张岱《陶庵梦忆·越俗扫墓》：“越俗扫墓，男女袨服靓妆，画船箫鼓，如杭州人游湖……虽监门小户，男女必用两坐船，必巾，必鼓吹，必欢呼鬯饮。下午必就其路之所近，游庵堂寺院及士夫家花园。”这是绍兴水乡独特的风俗。《鲁迅的故家·上坟船里》：“上坟这事中国各处都有，但坐船去的地方大概不多，我们乡下可以算是这种特别地方之一。因为是坐船去，不管道路远近，大抵来回要花好大半天的工夫，于是必要在船上喝茶吃饭，这事情就麻烦起来了……庵堂寺院并不游玩了，但吃上坟酒时大抵找一处宽适地方停泊，乌石头就在那山村河岸，龙君庄则到相距不远的百狮坟头去……调马场因路远，下山即开船，所以只能一面摇着船，一面吃着酒了。”

关于“百狮坟头”，原注已经说得很是明白，别无需要补充之处。但《药味集·上坟船》特别谈到归途吃上坟酒："回船后分别午餐，各船一桌，照例用'十碗头'，大抵六荤四素……此等家常酒席的菜与宴会颇不相同，如白切肉、扣鸡、醋溜鱼、小炒、细炒、素鸡、香菇鳝、金钩之类，皆质朴有味，虽出厨司之手，却尚少市气，故为可取。在'上坟酒'中还有一种食味，似特别不可少者，乃是熏鹅，据《越谚》注云系斗门镇名物，惜未得尝，但平常制品亦殊不恶，以醋和酱油蘸食，别有风味，其制法虽与烧鸭相似，唯鸭稍华贵，宜于红灯绿酒，鹅则更具野趣，在野外舟中啖之，正相称耳。"

这种熏鹅便是诗中写到的烧鹅。《亦报随笔·吃烧鹅》："小时候扫墓采杜鹃花的乐趣到了成年便已消失，至今还记忆着的只有烧鹅的味道，因为北方没有这东西，所以特别不能忘记也未可知。在乡下的上坟酒席中，一定有一味烧鹅，称为熏鹅，制法与北京的烧鸭子一样，不过它并不以皮为重，乃是连肉一起，蘸了酱油醋吃，肉理较粗，可是我觉得很好吃……"六十六岁的人还记得小时候的味道，亦可见当时印象之深刻了。

鹅这种食物，现在的地位似乎比鸡鸭要低些，正式筵席不见有它，但过去并不如此。明人笔记《觚不觚录》记宴请巡按筵席必进子鹅。《大清会典》记光禄寺一等汉席二十三碗，也有鹅在内。俞樾《茶香室续钞》有一条《明人以食鹅为重》，更证明了这一点。当然这说的是五岭以北的情形，如今南风北渐，追星男女以说话带"广东尾子"为时尚，烧鹅的地位之恢复，亦正是当然也。

甲之八·映山红

【原诗】 牛郎花好充鱼毒，草紫苗鲜作夕供。

最是儿童知采择，船头满载映山红。

【原注】 牛郎花色黄，即羊踯躅，云羊食之中毒，或曰其根可以药鱼。草紫即紫云英，农夫多植以肥田，其嫩苗可瀹食。杜鹃花最多，遍山皆是，俗名映山红，小儿掇花瓣咀嚼之，有酸味可口。

【笺释】 此首原称“扫墓二”，写途中所见三种花：

牛郎花即羊踯躅，学名 Rhododendron molle，为杜鹃花科的一种，花色鲜黄，有毒性，又称“闹羊花”，羊误食后踯躅不行，故名。原注云其根可以药鱼，这和湖南乡下用榨茶油的“茶枯”下在塘里使鱼翻白浮起后捞取的法子是一样的。

草紫即紫云英，是水稻地区普遍种植使用的绿肥。其嫩茎可以烫熟后凉拌充蔬菜，故诗云“作夕供”。

映山红通常被认为是杜鹃花的别名，其实显花植物木兰纲杜鹃花目杜鹃花科有一百一十属四千多种，映山红只是杜鹃花属（Rhododendron）中某些种的统称，并曾划为独立的映山红属（Azalea），特征为落叶或半落叶灌木，花冠漏斗形，丛生枝端，色粉红以至白色。

《越谚》对这三种花亦有介绍：“牛郎花，黄色，如南瓜花而小，生山林中。”“草芋（锺按：即草紫），此芋撒田，春茁草开花结子，其草粪田。”“荫山红，即杜鹃，生柴生中，扫墓时盛开。”

“柴生”为绍兴方言。《越谚》：“柴生，山间有一种盘错老根，逢春生稊，名此。乍音滋，从俗。”其实它便是杜鹃花多年生长的老根株，并不是别种植物，观下文引《种花和种菜》可知。

周作人日记己亥三月初七日，“同三弟，衍伯，方、昌、新三叔，廿八再叔，同予七人往富盛拜坟，折得刺柏四株，踯躅三株，牛黄花数枝回”。牛黄花疑即牛郎花。周建人《鲁迅故家的败落》第十节回忆随大人上坟时，“我们的兴趣却在漫山遍野的跑，采集映山红，把花瓣放在嘴里嚼，有一股清香和酸味；再采集紫云英，把紫红色的花朵串作球……”

集外文《种花和种菜》：“小时候我们很种些花过，……主要是‘老勿大’和映山红(《花镜》上有纪录叫作‘平地木’)和普通所谓羊踯躅。……映山红是普通的植物，但是平常不易得，因为在山里根株很大，每年当柴火砍掉，长出来的嫩枝很细，往往无从下手，所以变得名贵难得了。此外有一种黄色的羊踯躅，俗名牛郎花，是有毒的，虽是难得，种的人也就少了。”

《雨天的书·故乡的野菜》说草紫“采取嫩茎瀹食，味颇鲜美，似豌豆苗。花紫红色，数十亩接连不断，一片锦绣，如铺着华美的地毯，非常好看。而且花朵状若蝴蝶，又如鸡雏，尤为小孩所喜……浙东扫墓用鼓吹，所以少年们常随了乐音去看‘上坟船里的姣姣’；没有钱的人家虽没有鼓吹，但是船头上篷窗下总露出些紫云英和杜鹃的花束，这也就是上坟船的确实的证据了。”

甲之九·坐山兜

【原诗】　跳山扫墓比春游，岁岁乘肩不自由。
喜得居然称长大，今年独自坐山兜。

【原注】　跳山在会稽东门外，即汉大吉摩崖所在地。兜子轿为山行乘物，两竹杠间悬片板作坐位，绳系竹木棍为踏镫，二人舁之甚轻便。小儿出行，多骑佣人肩上。姜白石词“只有乘肩小女随”，可知此风在南宋时已有矣。

【笺释】　本首原为“扫墓三”，现题作“坐山兜”。诗开头写的跳山，却是钱镠（五代时候的吴越国王，入宋后死谥武肃）的故事。《饭后随笔·钱大王的歌》：“吴越王钱镠……乡下通称钱大王，是从贩私盐发迹的英雄……会稽有跳山（锺按：绍兴在一九一二年以前为会稽、山阴两县），原有东汉摩崖刻字，全被苔藓埋没，只露出末了一个钱字，村人传说是他的遗迹，卖盐遇捕役，跳上山崖逃走，遂以名山云。”

跳山的大吉摩崖本是绍兴有名的古迹，牵涉到钱大王却是由于误会。清悔堂老人《越中杂识》下卷“碑版下”：“吴越武肃王书‘大吉’二字，在府城东南三十里跳山石壁上，相传武肃微时贩盐遇官兵，逃避于此，以指书‘大吉’于石壁，指痕入石者寸许，今字并指脚迹俱存。”什么“指痕入石”当然是神话，摩崖石刻其实是东汉建初元年的古迹，“大吉”二字下刻字五行云：“昆弟六人／共买山地／建初元年／造此冢地／直三万钱。”建初元年即公元七十六年，还要过七百七十六年钱镠才出世。

钱镠活了八十岁，他死后八百九十一年，清道光三年山阴金石家杜氏兄弟到跳山，发现了“只露出末了一个钱字”的古碑，因勒石其旁，自称“后一千七百四十八年获石同观”。由此可见，此大吉摩崖与钱大王其实是毫无关系的。

中国被专制帝王统治得太久了，老百姓养成了崇拜帝王的习惯，越是“厉害”的帝王，越是有人崇拜，死后还造出他们如何如何“了不起”的种种神话，“指痕入石者寸许”即其一也。

扫墓事实上也就是春游。周作人庚子年三月十六日记：“至富盛埠，乘兜轿过市行三里许，越岭，约千馀级。山上映山红牛郎花甚多……竹萌之出土者粗如碗口而长仅二三寸，颇为可观。忽闻有声如鸡鸣，阁阁然，山谷皆响，问之轿夫，云系雉鸡叫也。又二里许过一溪，阔数丈，水没及骭，舁者乱流而渡。”是年他十六岁，独自坐山兜应是老资格了。

周作人所乘的兜轿，即是山兜，俗称兜子。俞曲园则称为笃子，《春在堂随笔》卷二记所见者云：“舁夫以两竹竿悬坐具于下，并悬尺许之竹以承双足，游人踞坐其上。……后闻勒少仲同年云，江西多有之，名曰掇子，掇音读如笃，余疑即兜子之转音。又思竹、马二字，合书之即为笃，竟名‘笃子’，亦于义有取。”

《绍兴的风俗习尚》：“两根竹杠当中挂一根绳缚一块竹片，人可以坐在上面，再稍微前一点再挂两根比较长的绳悬在下面也缚上一块狭小的竹板给人踏脚，这就是兜子轿的构造。”

甲之十·书房小鬼

【原诗】 书房小鬼忒顽皮，扫帚拖来当马骑。
额角撞墙梅子大，挥鞭依旧笑嘻嘻。

【笺释】 “书房”诗共二首，今将本首题作“书房小鬼”。

集外文《书房里的游戏》：“现今教育发达，中小学不必说了，便是托儿所幼儿园也是到处都是，所以说起书房来，几乎要不大有人知了……从前没有学校的时代，儿童读书只有入塾的一法，书塾计有两种，甲是家馆，乙是私塾……李越缦的骈体文里有一篇《城西老屋赋》，虽是四六文，却写得很有情趣：‘维西之偏，实为书屋……予之童騃，踞觚而读。先生言归，兄弟相速。探巢上树，捕鱼入洑。拾砖拟山，激流为瀑。编木叶以作舟，揉筱枝而当轴。寻蟋蟀而劚墙，捉流萤以照牍。候邻灶之饭香，共抱书而出塾。’”上树，入洑，寻蟋蟀，捉流萤……便是旧时“书房小鬼”们玩得笑嘻嘻的时候了。

但不要说“探巢上树，捕鱼入洑”了，就是“额角撞墙梅子大”这样的顽皮事，周作人当年好像也很少经历。据《知堂回想录》第八节，他读书时的游戏其实是十分寒伧可怜的：“我在癸巳年避难以前，曾经在厅房——大厅西偏的小书房里，同了庶出的叔父伯升，读过半年的书……（先生）没有什么本事，可喜也并不严厉，因此也少来管束我们。我至今记不起在他手里读了些什么，事实上我那时《中庸》还未读了呢，因此我记得的便是在厅旁的一间小花园玩耍的事情……最记得的，乃是罗汉松树根下所埋着的两只‘荫缸’，这乃是不大不小的缸，埋在土里，缸里盛着水，这水不是清澈的雨水，却是不知经历几多年的青黑色的水，里边积存腐烂的树叶大半缸，这是我们亲手淘过，所以知道的。说也奇怪，我们托词读书，躲在厅房里边，关上了门，却终日在园里淘那两只水缸，将里边的树叶瓦砾清理出来，居然没有中什么毒，连在预料中的蜈蚣毒蛇癞虾蟆之属，也一只都没有碰见过，真是奇事。”

值得幸运的是，周作人总还有先生“少来管束”的童年，总还可以终日淘水缸玩耍；后来的新式学堂里却未必能有这样的待遇。《苦竹杂记·谈中小学》：“我并不说现今的学校制度不及从前书房私塾好……我只觉得现在的中小学校太把学生看得高，以为他们是三头六臂……一天八点十点的功课，晚上做各种宿题几十道……我想这种教育似乎是从便宜坊的填鸭学来的，不过鸭是填好了就预备烤了吃的，不必管他填了之后对于鸭的将来生活影响如何，人当然有点不同罢，真填似可不必，也恐怕禁不起填。”

上文还引俞君宣逸事，“俞临没时语所亲曰，吾死无所苦，所苦此去重抱书包上学堂耳。”接着道：“俞君宣大约是滑稽之雄，所以说得很是好玩，但是我觉得在这诙谐之中很含有悲哀的分子，非意识地显出对于儿童时代生活的惆怅……由此观之，儿时快乐之多为学堂所破坏，盖很可以明了了。”

俞君宣，名琬纶，明长洲(民国元年并入吴县，今属苏州)人，万历进士，以文采风流知名。

甲十一·带得茶壶

【原诗】 带得茶壶上学堂，生书未熟水精光。

后园往复无停趾，底事今朝小便长。

【原注】 书房中当日所授读之书，谓之“生书”。

【笺释】 本首原为“书房二”，今题作“带得茶壶”，这和上首一样，不过用了开头的四个字。诗的原意，也只是写儿童在书房中淘气，借口小便“后园往复无停趾”而已。

事实上，小学生未必都会“带得茶壶上学堂”，但茶水喝得多是无疑的，这大抵是由于本地的生活习惯使然。《鲁迅的故家·茶水》：“旧例，一面起早煮饭，一面也在烧水泡茶，所以在吃早饭之前，就随便有茶水可吃……家里大茶几上放着一把大锡壶，棉套之外再加草囤，保护它的温度，早晚三次倒满了，另外冲一闷碗浓茶汁，自由的配合了来吃。夏天则又用大钵头满冲了青蒿或金银花汤，等凉了用碗舀，要吃多少是多少。”

此种将开水和茶汁“自由的配合了来吃”的喝茶水的方式，又见于《苦竹杂记·隅田川两岸一览》：“我从小学上了绍兴贫家的习惯，不知道喝‘撮泡茶’，只从茶缸里倒了一点茶汁，再羼上温的或冷的白开水，骨都骨都地咽下去。”

这样“骨都骨都地咽下去”，而且“在吃早饭之前”便开始“要吃多少是多少”，即使不带上那大茶几上“棉套之外再加草囤”的大茶壶到学堂继续喝，自家肚皮里的茶水也足够“后园往复无停趾”的了。

小便长的原因是茶水喝得多，茶水喝得多的原因，则是“书房中当日所授读”的生书必须读熟。那么，什么是“生书”呢？

郑方坤《删补五代诗话》：“乡塾教子弟，未读之书谓之生书，已读之书谓之熟书。”

形容昔时乡塾课读生徒读生书温熟书情形的，有郭臣尧《捧腹集·诗钞》中《蒙师叹》之九：“一阵乌鸦噪晚风，诸徒齐逞好喉咙。赵钱孙李周吴郑，天地元黄宇宙洪。千字文完翻鉴略，百家姓毕理神童。就中有个超群者，一日三行读大中。”还有鲁迅《从百草园到三味书屋》：“真是人声鼎沸，有念‘仁远乎哉我欲仁斯仁至矣’的，有念‘笑人齿缺曰狗窦大开’的，有念‘上九潜龙勿用’的，有念‘厥土下上上错厥贡苞茅橘柚’的……”

三味书屋的学生能够享受到“小便自由”，比起别处来，可谓难得。《知堂回想录》第九节，记王广思堂塾师“设用什么‘撒尿签’的制度，学生有要小便的，须得领他这样的签，才可以出去。这种情形大约在私塾中间，也是极普通的，但是我们在三味书屋的学生得知了，却很是骇异，因为这里是完全自由，大小便时径自往园里走去，不必要告诉先生的。有一天中午放学，我们便在鲁迅和章翔耀的率领下，前去惩罚……攫取笔筒里插着的‘撒尿签’撅折，将朱墨砚覆在地下，笔墨乱撒一地”。自称“去惩罚”，其实只是去抗议，表示一下不满。

这大约是周氏兄弟对于不合理规矩最早的反抗，和聚众去打武秀才不同，完全应该肯定。

甲十二·立夏

【原诗】　新装扛秤好秤人，却喜今年重几斤。
吃过一株健脚笋，更加蹦跳有精神。

【原注】　立夏日秤人以防蛀夏，大概原来于立秋日重秤一回，以资比校，但民间忘其意义矣。是日以淡笋纳柴火中烧熟，去壳食尽一株，名曰健脚笋。

【笺释】　扛秤是需人扛抬或悬于杠上使用的大秤。顾禄《清嘉录》云，立夏日“家户以大秤权人轻重，至立秋日又秤之，以验夏中之肥瘠”。观鱼《绍兴的风俗习尚》则云，立夏秤人“记出重量和上年秤过的重量作一比较”。其实无论是和立秋比还是和上年比，目的都在“验肥瘠”以“防蛀夏”。

《亦报随笔·今年的立夏》：“因为要蛀夏，身体免不了要瘦斤把，所以秤了来看各人的健康状态是怎么样。”

嘉兴吴受福增补《古禾杂识》云，嘉兴正月初七人日“俗喜秤人，谓秤则可免一年疾病，此例大约始行于小儿，秤之以验逐年增长……立夏日亦有是例，谓可禳蛀夏之患”。

蛀夏一作注夏，又作疰夏。《清嘉录》云：“俗以入夏眠食不服曰注夏。”案语又引顾治斋之说：“疰与注当作蛀，入夏不健，如树木之为虫蛀也。”

吃健脚笋的习俗，在浙江别处也有。一九九一年五月十一日《新民晚报》载庆修《夏三鲜》：“宁波习俗，立夏那天要吃茶叶蛋、竹笋……竹笋被叫做脚骨笋，吃了健足。”这宁波的脚骨笋，也就是绍兴的健脚笋。不过后者特别说明，系“纳柴火中烧熟”，小孩须“去壳食尽一株”，故只能用细小的笋。

人们食用之笋，通常都是毛竹发生的毛笋。《木片集·闲话毛笋》：“毛笋生得极大……稍大的辄有一二十斤重。”这显然无法“纳柴火中烧熟”，小孩更无法“食尽一株”。周作人壬寅日记附《江南杂记》云，“淡笋无大者，长只五六寸”，才正好合适。

淡笋是淡竹的笋，淡竹又是什么竹呢？沈括《梦溪笔谈》云：“除苦竹外，悉谓之淡竹，不应别有一品谓之淡竹。”李衎《竹谱详录》则云：“淡竹处处有之，凡三种……高丈许，叶入药为良，笋食亦佳……竹品虽多，各有各色，淡竹自有此三种，岂可一概云尔。”范寅《越谚·竹木部》：“淡竹，春夏之间生淡笋，秋生鞭笋最佳，叶堪疗疾。”所指亦是一种。

虽然淡竹之叶“入药为良”，“堪疗疾”，但它和中药材中的“淡竹叶”并非一物。在植物分类学上，淡竹为禾本科竹亚科七十五属千二百多种木本竹类中的一种，高可达十二米，为笋材两用竹；淡竹叶为禾本科禾亚科淡竹叶属的一种草本植物，高仅数十厘米，根本不会发笋。安徽大学出版社二〇一一年版笺释云，淡笋“是生长药材‘淡竹叶’的淡竹所发出的笋”，乃是完全不对的，特在此更正，并向在《包商时报》给予指正的雨云君致谢。

《中国竹类图志》记载了国产竹类四十三属七百零七种，虽仍无法据以确定李衎谱录中的三种淡竹，《梦溪笔谈》“除苦竹外悉谓之淡竹”的说法也总是不对的了。

甲十三·端午

【原诗】　端午须当吃五黄，枇杷石首得新尝。
黄瓜好配黄梅子，更有雄黄烧酒香。

【笺释】　“端午须当吃五黄”是绍兴人的风俗，“五黄”指五种名字或颜色带黄的食品。哪五种呢？从诗中看是枇杷、石首、黄瓜、黄梅、雄黄酒，观鱼《绍兴的风俗习尚》则说是黄鳝、黄鱼(即石首)、黄梅、王瓜(绍兴人读音黄王不分)、雄黄酒。这些东西，其实别处地方的人也是吃的，只要当地有出产，不过不一定得凑齐五样，因此也不见有“吃五黄”这种说法。中国幅员广大，各地风俗大同小异，使人感兴趣的往往是其异而非其同，民俗研究正应该多注意这些方面。

石首即黄鱼，头中有骨两枚如豆大，色白坚如石，故称。产于海中，腹色黄，又称“黄花鱼”。周作人日记庚子年三月初三日：“下午章棂来，尝石首，即鲙也，越名黄鱼，杭呼江鱼。”从前江浙沿海一带，这是极为普通的食材，现在则物以稀为贵，难得吃到了。至于在内地，比如我们湖南长沙，过去交通不发达，少见海鲜，人们不大会想得去找来吃，它也就不会成为应时节的供应了。

《亦报随笔·端午节》：“端午的枇杷、黄梅，立夏的樱桃，上坟时节的黄菱肉，虽然或者这不能严格的说是时新，但在将近梅酸藕烂蔗空心的时候，它也自有其地位的。”“五黄”中水果占了两样，也是江浙一带才有的特色。

《越谚》卷中“风俗部”：“蒲黄酒，菖蒲雄黄入烧酒，端节午饮，饮后喷壁角门背辟毒。”菖蒲入酒，古时盛行。后来可能因为菖蒲不太易得，尤其是到了现代城市中，人们便只吃雄黄酒了。小孩子未必会得饮酒，端午节饭桌上的烧酒香却总会闻得到。后来科学知识普及，人们知道雄黄有毒不宜入口，则雄黄酒也少有吃的了。

这首诗专叙端午食物，小孩好吃，画也特别强调孩子们馋涎欲滴甚至是已滴的情形。本来饮食娱乐在民俗节日中有它重要的地位，保留了童心的作者常常会写到这些。《端午节》文中曾加以分析道：

“……农历上有些季节在民间仍然存在，那是当然的。举一个近例，有如端午，就快要到来了。这些季节怎么起源，有什么意义，可以不去管它。如端午吃粽子，说是祭屈大夫的，那是从前读书人搞的把戏，真假都是没有关系的事。现今重要的是这成为民间的一个娱乐的节日……有如休假的星期日，加上有适宜的天气，时新的土产，大家聚会来乐一乐，随后再埋头努力去做事，它的作用也不是没有……这在都市中没有多大必要，反正粽子早已满街卖了，枇杷也是水果店上都有的，若是乡村里，不是为了端午，粽子就未必有人吃、有人裹的了。有些时鲜土产物，也往往因了季节多能行销……一年中让大家有几回饮食娱乐的机会，我想也是很好的，端午就是其一，此外有中秋、冬至、夏至，中秋吃月饼，冬至馄饨夏至面……”

甲十四・蒲剑艾旗

【原诗】 蒲剑艾旗忙半日，分来香袋与香球。
雄黄额上书王字，喜听人称老虎头。

【笺释】 本首原为“端午二”，现题作“蒲剑艾旗”。

《越谚》卷中“风俗部”收录了两副对联，一副是：“菖蒲作剑，斩八节之妖魔；艾叶为旗，招四时之吉庆。”又一副是：“蒲龙献瑞；艾虎呈祥。”说是端午节写了贴在床柱上的。这“蒲剑艾旗”和“蒲龙艾虎”其实是一样事物，就是采来菖蒲叶和艾草，扎挂在床头或门前，以辟邪祛秽。

这是普及全国的古老风俗，早些年朱纯在时，端午节前保姆去菜市买菜，仍叮嘱其见有菖蒲艾叶便买些回家，挂在门首。这大概与菖蒲和艾都是有治病功效的芳香植物不无关系。晋时成书的周处《风土记》云：“采艾悬于户上以蠲毒气。”又云：“或剪彩为小虎，贴以艾叶，内人争相戴之。以后更加菖蒲，或作人形，或肖剑状，名为蒲剑，以驱邪却鬼。”此即“蒲剑”“艾虎”说法的来历，即此到今天也至少已经有一千七百多年的历史了。

观鱼《绍兴的风俗习尚·端午的种种》：“门窗、床铺遍插艾叶、菖蒲，用苍术、白芷等药物做气味浓厚的蚊烟堆，门上贴张天师和道士送来的符，另外还在黄纸上用雄黄写‘姜太公神位在此诸邪回避’……等纸条分贴于各个门窗、床铺、墙壁。”

周作人小时候经常接触菖蒲和艾草。戊戌五月初五日的日记云：“作蒲剑艾旗。”庚子端午日又记：“上午作蒲剑艾旗，分插各处，又刻菖蒲根如葫芦式以贻三弟。”

端午节小儿女们“分来”的“香袋与香球”，有形形色色各种样式。据《绍兴的风俗习尚》介绍，“有端节老虎、各式香袋、香牌、花椒小枕头、小手串等花色，以各种绸绒精制，内实香末、香料。”吴曼云《江乡节物词·小序》：“杭俗，妇女制绣袋绝小，贮雄黄，系之衣上，可辟邪秽。”《药味集·蚊虫药》还说到女孩子们选择杉子（锺按：杉子应是枫子，此处周氏有误，参看《甲十七·蚊烟》）之“形大而端正者，用水浸软，拔去其刺，用各色绒线穿孔缠扎，状如绣球，可作端午之彩饰”。在湖南乡下，女孩们还有用五彩丝线缠成小粽子，两三个连成一串，互相赠送的。

“雄黄额上书王字”的风俗处处皆然。《越谚》“风俗部”说到“书王”：“端午饮馀酒中雄黄书王字于孩额，并抹其眼、耳、鼻孔，可辟虫豸钻入。”民国初年子鸿《燕京竹枝词》也有一首专写此事云：“何人传下此奇方，为避毒虫抹雄黄。儿童头上都有迹，整个王字印中央。”

“额上书王字”是象征“老虎头”，因为俗说白额大虫的额头上有一个王字。老虎不是什么可爱的东西，人们不会特别希望遇见它。在小孩“额上书王字”，在小孩鞋帽上绣虎，或者“编钱为虎头形，系小儿胸前，以示服猛”（顾禄《清嘉录》），本来不过是为了厌胜即“以毒攻毒”（也就是“以示服猛”），渐渐便知其然不知其所以然了。

甲十五・麻花粥

【原诗】 早市离家二里遥，携篮赶上大云桥。
今朝不吃麻花粥，荷叶包来茯苓糕。

【原注】 苓俗语读作上声，但单呼茯苓，则又仍作平声读也。

【笺释】 本首原为“夏日食物”之一，今题作“麻花粥”。

《饭后随笔·三顿饭》说绍兴人“因为早上吃饭，须得买菜做菜，菜市很早”。《知堂回想录》二六：“早市是在大云桥地方，离东昌坊口虽不很远，也大约有二里左右的路吧。”

麻花粥即油条稀饭。绍兴俗称油条为麻花。《苦竹杂记·谈油炸鬼》：“制麻花……只两高凳架木板，于其上和面搓条，傍一炉可烙烧饼，一油锅炸麻花，徒弟用长竹筷翻弄，择其黄熟者夹置铁丝笼中……一股二文，客取麻花折断放碗内，令盛粥其上……一共只要五文钱，名曰麻花粥。”

过去在北京，则俗称油条为油炸鬼。《瓜豆集·再谈油炸鬼》谓油炸鬼原称油炸果，“以果与鬼音近而转讹也”。

《夜读抄·一岁货声》录京中粥铺叫卖唱词：“喝粥咧，喝粥咧，十里香粥热的咧，炸了一个焦咧，烹了一个脆咧……油又香咧，面又白咧，扔在锅里漂起来咧……一个大的油炸的果咧！”《一岁货声》由闲园菊农辑录于光绪丙午即一九〇六年，可见于二十世纪初，油炸果仍和油炸鬼并存于北京人的口头。

孙伯龙《通俗常言疏证》:“元张国宾《大闹相国寺》剧:‘那边卖的油炸骨朵儿,你买些来我吃’。按,骨鬼音转,今云油炸鬼儿是也。”《再谈油炸鬼》文引此后论曰:“油煠骨突儿大约确是鬼的前身,却出于元曲,比明代的‘好果子’还早,所以更有意思。我想这种油煠面食大约古已有之,所谓‘压扁佳人缠臂金’的寒具未必不是油炸鬼一。”(按此唐人刘禹锡句。)

寒具于六世纪写入《齐民要术》,九世纪写入唐诗,它便是能“压扁”的油条。油炸骨朵—油炸果—油炸鬼,这俗称从元、明、清至民国,一直见诸著录。但过了上千年,咸丰时张林西《琐事闲录》引“长晴岩观察臻”之言,却谓油炸鬼本来是“油炸桧”。“当日秦桧既死,百姓怒不能释,因以面肖形炸而食之,日久其形渐脱,其音渐转,所以名为油炸鬼”。光绪时人范寅作《越谚》更为武断:“麻花,即油炸桧,恨磨业者省工,无头脸,名此。”其实秦桧死后“以面肖形炸而食之”未见当时记载,七百多年后的长臻、范寅何所据而云然?

茯苓糕据谷林函告:“是一种用茯苓泥做馅的潮糕,每块约一寸见方,四边露馅,正面加盖红色印记。……潮糕云者,即此糕要吃新鲜,保持一定的潮润度,制成后上覆湿布,一上午即售完,但又是凉的,为夏令食品。”

《药味集·卖糖》:“早上别有卖印糕者……蔡糖糕、茯苓糕、桂花年糕等亦具备,……其用处似在供大人们做点心吃。”

甲十六·虾壳笋头汤

【原诗】 夕阳在树时加酉，泼水庭前作晚凉。
板桌移来先吃饭，中间虾壳笋头汤。

【笺释】 这首诗原为“夏日食物”之二，它所描写的场景，完全可以看作一幅别致的民俗风情画。

《鲁迅小说里的人物·民俗资料》说：“在《风波》这篇小说里，有好些乡村民俗的资料，这是值得注意的。”

现在便将鲁迅《风波》第一段的文句拿来和这首诗对照着看一下：“太阳渐渐的收了他通黄的光线了，场边靠河的乌桕树叶，干巴巴的才喘过气来，几个花脚蚊子在下面哼着飞舞。面河的农家的烟突里，逐渐减少了炊烟”，这不正是“夕阳在树时加酉”的光景吗？还有：

“女人孩子们都在自己门口的土场上泼些水，放下小桌子和矮凳。人知道，这已经是晚饭时候了。”拿来做“泼水庭前作晚凉”“板桌移来先吃饭”的今译，岂不也十分合适吗？

“板桌”之称，似不普及，其实只是绍兴乡下对方形或长方形粗制小桌的称呼，我们长沙乡下的人则把它叫做“小桌子”或者“细桌子”。

虾壳笋头汤是绍兴老百姓很喜欢蒸了来喝的一种汤，周氏文中多次提到过。《鲁迅的故家·饭菜》：“因了三餐煮饭的关系，在做菜的方法上也发生了特别的情形，这便是偏重在蒸，方言叫做熯，这与用蒸笼去蒸的方法不同，只是在饭锅内搁在‘饭架’上去，等到生米成为熟饭，它也一起的熟了。”虾壳笋头汤还有更好吃的鲞汤，便都是用这种简易的办法熯出来的。同书《蒸煮》：“白鲞或鳘鱼鲞切块，加上几个虾米(俗名开洋)，加水一蒸，成为很好的一碗鲞汤……大虾挤虾仁后，与干菜少许老笋头蒸汤，内中无甚可吃，可是汤却颇好，这种虾壳笋头汤大概在别处也是少见的。”

《瓜豆集·怀东京》论东京食物的好处是“清淡质素，他没有富家厨房的多油多团粉，其用盐与清汤处却与吾乡寻常民家相近，在我个人是很以为好的。假如有人请吃酒，无论鱼翅燕窝以至熊掌我都会吃，正如大葱卵蒜我也会吃一样，但没得吃时决不想吃或看了人家吃便害馋。我所想吃的如奢侈一点还是白鲞汤一类，其次是鳘(乡俗读若米)鱼鲞汤，还有一种用挤了虾仁的大虾壳，砸碎了的鞭笋的不能吃的‘老头’(老头者，近根的硬的部分，如甘蔗老头等)，再加干菜而蒸成的不知名叫什么的汤。这实在是寒乞相极了，但越人喝得滋滋有味，而其有味也就在这寒乞即清淡质素之中，殆可勉强称之曰俳味也。”

鲞，音享。江浙人称干鱼为“鲞”。孙旭升《白鲞肉与虾油鸡》文中说，白鲞即石首鱼干即黄鱼干，伏天取黄鱼剖腌晒压干，坚硬而色白，蒸汤味鲜，可以开胃。鲞汤得以鲞切块来做，这个未必随时都预备得有。虾壳笋头汤却是用挤掉了虾仁的虾壳来蒸的，等于在吃炒虾仁时再白饶一碗味美的汤，岂不更妙吗?

甲十七·蚊烟

【原诗】　薄暮蚊雷震耳聋，火攻不用用烟攻。
脚炉提起团团走，烧着清香路路通。

【原注】　水乡多蚊。白昼点长条之蚊虫药。黄昏则于铜火炉中燃茅草豆荚或路路通，发烟以祛之。小儿喜司其事，以长绳系于炉之提梁，挈之巡行各室。路路通即杉树子，状如栗房而多孔，焚之微有香气。

【笺释】　此首写小孩喜爱玩烟火，包括了焚烟驱蚊，同时又是一首介绍民俗事物的风土诗。

《亦报随笔·蚊子与白蛉》："在绍兴只要人家干净一点，还可以没有臭虫和虱子……最讨厌的乃是蚊子，特别是在乡下的旧式房屋里。每到夏天晚上蚊子必要做市，呜呜的叫声聚在一处简直响得可以，蚊雷蚊市的意义到那时候真是深切的感到了。你到屋里去，蚊子直与你的眼泡相撞，嘴如不闭紧，便可以有几匹飞下喉咙去。这时大做其蚊烟，不久也把大部分熏出去了。"

原注所云"长条之蚊虫药"，在从前是家常日用之物，在别处就只叫蚊烟。丁修甫《武林市肆吟》之九十一："纸筒樟屑火微熏，药气烟浓夜辟蚊。胜卧清凉白罗帐，青铜钱止费三文。"注云："蚊虫药亦列屋货卖。"《药味集·蚊虫药》引此诗云："蚊虫药值三文，越中亦有之，其时大约每股才二钱耳。制法以白纸糊细管，长二尺许，以锯木屑微杂硫黄等药灌入，或云有黄鳝骨屑尤佳，再压扁蟠曲作圈，纸捻缚其端即成矣。其烟辟蚊颇有效，唯熏帷帐使黄黑，洗濯不退，又蟠放地上，烧灼砖石木板悉成焦痕，是其缺点也。”

“烧着清香路路通”的“路路通”，用来烧香驱蚊，原注说是杉树子。《药味集·蚊虫药》亦如此说，可见并非笔误：“大抵在黄昏蚊成市时，以大铜火炉生火，上加蒿艾茅草或杉树子，罨之不使燃烧，但发浓烟，置室中少顷，蚊悉逃去。做蚊烟以杉树子为最佳，形圆略如杨梅，遍体皆孔，外有刺如栗壳，孔中微有香质，故烟味微香，越中通称曰路路通。”

《越谚》卷中名物部有路路通，注亦云：“杉子，落山检藏，以备烟熏。”

这里《越谚》和周作人都弄错了，路路通其实是枫树子。

在南方山区生活过的人都知道，杉树子是长卵形的，实心无孔，并不长刺，烧来有气味却无论如何说不上香。而“形圆略如杨梅，遍体皆孔，外有刺如栗壳”，又可以烧来驱蚊的，只能是枫树子。最初在《亦报》上看到注文，以为是手民之误，后来见到手迹，才知是作者错了。

周作人晚年也发现了自己的错误，一九六六年三月十日致孙五康信中承认：“路路通是枫树子，说杉树子是错的。”

枫树子圆如小球，遍体皆孔，端午节女子以五彩丝线羃其上作装饰，用针时路路皆通，故称之为路路通。

甲十八·瓜

【原诗】　买得乌皮香扑鼻，蒲瓜松脆亦堪夸。
负他沙地殷勤意，难吃喷香呃杀瓜。

【原注】　乌皮香者，香瓜之一种，皮青黑，肉微作碧色，香味胜常瓜。蒲瓜柔脆多水分，但不甚甜。冷饭头瓜一名呃杀瓜，以其绵软，食之易噎，但可以饱，有如冷饭，故有是名，沙地种瓜人常用此以作赠物。

【笺释】　这里所说的瓜，并非西瓜，而是香瓜即甜瓜，品种不一，均绍兴沙地所产。

关于瓜和“沙地”，《鲁迅小说里的人物·两个故乡》是这样说的：“鲁迅在《故乡》这篇小说里纪念他的故乡……深蓝的天空中挂着一轮金黄的圆月，下面是海边的沙地，都种着一望无际的碧绿的西瓜。现在先从闰土说起，这闰土本名章运水……他的父亲名叫章福庆，是城东北道墟乡杜浦村人，那里是海边，他种着沙地……”诗中所说的“乌皮香”“蒲瓜”和“呃杀瓜”，便是闰土父子这类“种着沙地”的农人种出来的。

从周作人早期日记看，他小时候常吃闰土家送来的瓜。庚子七月初五日记：“上午，杜浦章梫送西瓜、洋金瓜、青瓜、冷饭头瓜(形如西瓜，一名咽煞瓜，味淡而粉，不能多吃，以其味淡而饱又能噎也)，共二筐。”这里提到的“杜浦”即上文中的道墟乡杜浦村，“章梫”即章福庆，也就是闰土的父亲。咽煞瓜即呃杀瓜即冷饭头瓜，说它“味淡而粉，不能多吃，饱又能噎”，印象不怎么好。

周作人对故乡的沙地很有感情，《风雨谈·三部乡土诗》评《墟中十八图咏》云：“所谓墟者即会稽道墟村，章氏聚族而居之地……画的确有特色，不是普通的山水画那样到处皆是而又没有一处是的。我最喜欢那第十二的杜浦一幅。我从小就听杜浦来的一个章姓工人讲海边的事，沙地与‘舍’（草屋），棉花与西瓜，角鸡与獾猪等等，至今不能忘记。”杜浦临曹娥江，今为上虞县的一个乡，去海已稍远。《墟中十八图咏》和《故乡》所描写的风光，是否还多少保存着在那里呢？真希望浙江的朋友能告诉我们一点才好。

《越谚》卷中“瓜果部”：“瓠瓜，上蒲，即《本草》越瓜之白者。”瓠瓜即蒲瓜。又云：“礅礤瓜，又名冷饭头瓜，又名呃杀瓜，较香瓜为大，以其形如礅礤而粉糯噎喉，然味实美。”

说呃杀瓜“味实美”，只是范寅个人的看法，觉得它“味淡而粉，不能多吃”的周作人恐怕不会同意。

呃杀瓜在北方也有。敦崇《燕京岁时记》：“五月下旬，则甜瓜已熟，沿街吆卖，有旱金坠、青皮脆、羊角蜜、哈密酥、倭瓜瓤、老头儿乐各种。”

《亦报随笔·老棉鞋》：“北方瓜类中也有叫老头儿乐的，大约是冷饭头瓜之类，但市上不曾见，或者因为不好吃的缘故，所以渐就淘汰了吧。”

甲十九・夏日急雨

【原诗】 一霎狂风急雨催，太阳赶入黑云堆。
窥窗小脸惊相问，可是夜叉扛海来。

【原注】 夏日暴雨将至，风起云涌，天黑如墨，俗语辄曰“夜叉扛海来”。胡寿颐《洗斋病学草》中有此诗题，唯“扛”写作“降”，误也。

【笺释】 周氏作文爱写风雨，少时便是如此。庚子二月十三日记：“游禹穴，颇闷热。至窆石亭，风甚大，走石飞沙，凛乎其不可留。亭上一碑折断，赑屃头亦为碑压断矣。”三月十一日又记：“晨，天色如靛，昏黑如夜，须灯烛以行，雨又甚大，如是若二刻许，始渐明朗。”四月廿八日记：“下午暖甚，傍晚天色如淡烟，小雨簌簌。余方指点云物，忽黄云一片，从东北隅飞起，至中央散布四方，天色淡黄，风声呼呼，隐约从东北起。急掩柴门，少顷则百窍怒号，江河震沸，窗屋皆摇。林木摩戛作声甚厉，又兼雨声，对面相语不能闻，雷电煜如，耸人毛发。屋上尘土簌簌落脊上，初尚不知，约炊斗许粟时，风止，摸身上皆是。……近处船舍，其半为风吹堕。至一更始止，雷亦渐轻，二更许则石上皆燥，此真可谓怪风也。”

这种异常天气他后来在文章中也常谈起，《知堂乙酉文编·风的话》：“绍兴在夏秋之间时常有一种龙风，这是在北京所没有见过的。时间大抵在午后，往往是很好的天气，忽然一朵乌云上来，霎时天色昏黑，风暴大作，在城里说不上飞沙走石，总之是竹木摧折，屋瓦整叠的揭去，哗喇喇的掉在地下，所谓把井吹出篱笆外的事情也不是没有。”

原注所引胡寿颐《洗斋病学草》卷下有《越谣》五首，注云：“吾乡俗说多有古意，谱以韵语，使小儿歌之。”其一云：“夜叉降海来。”原注曰：“夏日暴雨，多以是语恐小儿。”《苦茶随笔》介绍胡氏所录，案云：“降字疑应作扛，夏天将下阵雨，天色低黑，辄云夜叉扛海来。”

大风大水大自然的不可测使人忧惧，但世间人事的不可测也许更堪忧惧。一九一九年所作《小河》，说河水本来稳稳的向前流动，但在河中筑起一道堰，水不得前进，堰下的土逐渐淘去成了深潭，堰旁的稻和桑树便都着急，怕水会在它们身上大踏步过去，把它们的根带倒。这首诗的意思，后来《知堂回想录》一三一节说明道：“一句话就是那种古老的忧惧……古人云，民犹水也，水能载舟，亦能覆舟。法国路易十四云，朕等之后有洪水来……二者的话其归趋则一，是一样的可怕。”接着又引杂诗“豆花未落瓜生蔓，怅望山南大水云”，说明道：“只是说瓜豆尚未成熟，大水即是洪水的预兆就来了。这是一九四二年所作，再过五六年北京就解放了。”

一九六六年“文革”前夕，他又作了一首关于风的诗：“春风狂似虎，似虎不吃人；吃人亦无法，无法管风神。”表现出对于“无法管”即不可测的人事的巨大的忧惧。

甲二十·苍蝇

【原诗】 瓜皮满地绿沉沉，桂树中庭有午阴。
踱足低头忙奔走，捉来几许活苍蝇。

【笺释】 捉了活苍蝇来玩，是周氏兄弟小时候的一种快乐。鲁迅《从百草园到三味书屋》："三味书屋后面也有一个园，虽然小，但在那里也可以爬上花坛去折腊梅花，在地上或桂花树上寻蝉蜕。最好的工作是捉了苍蝇喂蚂蚁，静悄悄的没有声音。"

《泽泻集·苍蝇》："苍蝇不是一件很可爱的东西，但我们在做小孩子的时候都有点喜欢他。我同兄弟常在夏天乘大人们午睡，在院子里弃着香瓜皮瓤的地方捉苍蝇——苍蝇共有三种，饭苍蝇太小，麻苍蝇有蛆太脏，只有金苍蝇可用。金苍蝇即青蝇，小儿谜中所谓'头戴红缨帽、身穿紫罗袍'者是也。我们把他捉来，摘一片月季花的叶，用月季的刺钉在背上，便见绿叶在桌上蠕蠕而动。东安市场有卖纸制各色小虫者，标题云'苍蝇玩物'，即是同一的用意。我们又把他的背竖穿在细竹丝上，取灯心草一小段放在脚的中间，他便上下颠倒的舞弄，名曰'嬉棍'；又或用白纸条缠在肠上纵使飞去，但见空中一片片的白纸乱飞，很是好看。倘若捉到一个年富力强的苍蝇，用快剪将头切下，他的身子便仍旧飞去。希腊路吉亚诺思(Lukianos)的《苍蝇颂》中说：

苍蝇在被切去了头之后，也能生活好些时光。

大约二千年前的小孩已经是这样的玩耍的了。"

《越谚》卷中"虫豸部"："苍蝇，厥种有四，饭苍蝇小而多，金苍蝇，红头苍蝇，麻苍蝇。”与上文所说大体相合。

《苍蝇》文中说，知道苍蝇能够传染病菌，从前卧病在医院时曾作有一首诗诅咒苍蝇，但“中国古来对于苍蝇也似乎没有什么反感”，举《诗经》“营营青蝇”“苍蝇之声”为例。接着说：“传说里的苍蝇，即使不是特殊良善，总之绝不比别的昆虫更为卑恶。在日本的俳谐中则蝇成为普通的诗料，虽然略带湫秽的气色，但很能表出温暖热闹的境界。小林一茶更为奇特，他同圣芳济一样，以一切生物为弟兄朋友，苍蝇当然也是其一。检阅他的俳句选集，咏蝇的诗有二十首之多，今举两首以见一斑，一云：

笠上的苍蝇，比我更早地飞进去了。

这诗有题曰《归庵》。又一首云：

不要打哪，苍蝇搓他的手，搓他的脚呢。

我读这一句，常常想起自己的诗觉得惭愧。”

前引《苍蝇颂》的作者路吉亚诺思，是公元二世纪时著名的讽刺作家，强烈反对宗教迷信和社会上的不平等。他的名字后来周作人译作“卢奇安”。人民文学出版社一九九一年九月出版的译本《卢奇安对话集》第十九篇为《苍蝇赞》即《苍蝇颂》，《泽泻集·苍蝇》中的那句译文改成为：

一个苍蝇把头切去了，她的身子还能生活许多时候，仍旧呼吸着。

前后两次翻译，时间相去已四十年，可见周氏对其看重。

甲二一・菱

【原诗】 妇孺都知驼背白，雷门名物至今称。
新鲜酒醉皆佳品，不及寻常煮大菱。

【原注】 菱角通称“大菱”。驼背白为四角菱之一种，色青白而拱背，出雷门坂一带。

【笺释】 在植物学上，菱是桃金娘目（Myrtales）菱科（Trapaceae）菱属（Trapa）好几种水生植物的通称，旧大陆欧、亚、非各洲都有分布，其果实都有角刺突起，故称“菱角”，角数或为四或为二。二角者原产于印度，当地有一种的学名就叫“二角菱”（T. bispinosa）。

《越谚》卷中“瓜果部”有一条“大菱”，下小字云：两角者，水红菱、刺菱最小，其大者，箱子甩、驼背白……”看来好像驼背白为两角菱之大者。但又一条“四角菱”，下小字云：“芰也，又名生菱”，原注称“驼背白为四角菱之一种”，不免矛盾。《武陵记》云：“四角三角曰芰，两角曰菱。”《湖录》亦云：“菱与芰不同。”事实上早没人将四角的菱叫做芰了，种菱的、卖菱的和吃菱的都不会觉得有必要这样做；有名的“屈到嗜芰”也不过用了楚国的方言，未必他真的非四角菱不吃吧。

《自己的园地·菱角》则仍分两角四角：“越中也有两角菱，但味不甚佳，多作为‘酱大菱’，水果铺去壳出售，名‘黄菱肉’，清明扫墓时常用作供品，‘追春犹可食’，亦别有风味。实熟沉水抽芽者用竹制发篦状物曳水底摄取之，名‘掺芽大菱’，初冬下乡常能购得，市上不多见也。唯平常煮食总是四角者为佳，有一种名‘驼背白’，色白而拱背，故名，生熟食均美，十年前每斤才十文，一角钱可得一大筐，近年来物价大涨，不知需价若干了。”

各种不同的菱有各种不同的吃法。《仙潭文献》云：“水红菱最先出，青菱有二种，一曰‘花蒂’，一曰‘火刀’，风干之皆可致远，唯‘火刀’耐久，迨春犹可食。因塔村之‘鸡腿’，生啖殊佳；柏林圩之‘沙角’，熟瀹颇胜。乡人以九月十月之交撤荡，多则积之，腐其皮，如收贮银杏之法，曰‘阁菱’。”

《湖录》云：“今菱湖水中多种两角，初冬采之，曝干，可以致远，名曰‘风菱’。唯郭西湾桑渎一带皆种四角，最肥大，夏秋之交，煮熟鬻于市，曰‘熟老菱’。”

《菱角》文中又说：“水红菱只可生食，虽然也有人把他拿去作蔬。秋日择嫩菱瀹熟，去涩衣，加酒、酱油及花椒，名‘醉大菱’，为极好的下酒物(俗名过酒坯)。阴历八月三日灶君生日，各家供素菜，例有此品，几成为不文之律。”

至于“雷门名物至今存”的雷门，则早已不存在。《书房一角·绍兴城门》：“绍兴城旧有九门，据尹幼莲《地志述略》所举俗称如下，即东郭、都泗、昌安、西郭、偏门、南门、稽山、五云、雷门是也。前六门皆是水门，平时拜岁扫墓都曾走过，馀乃是旱门，雷门早封闭，今只馀地名罗门坂耳。”

罗门坂疑当作雷门坂，但查今绍兴地图，确实只见有罗门坂，可见传讹亦已久矣。

甲二二·蟋蟀

【原诗】　啼彻檐头纺绩娘，凉风乍起夜初长。
关心蛐蛐阶前叫，明日携笼灌破墙。

【笺释】　啼彻檐头的纺绩娘，《丙十四·缫绩婆》还会要写。本首题“蟋蟀”，写的则是这种特别会叫的昆虫。《诗·七月》：“五月斯螽动股，六月莎鸡振羽，七月在野，八月在宇，九月在户，十月蟋蟀入我床下。”范蘅洲《诗渖》：“斯螽，蚣蝑，即蚱蜢。莎鸡，络纬，即织妇。蟋蟀，促织也。”这里边的织妇就是纺绩娘，促织就是蟋蟀。

不论古今中外，人们最关心的都是蟋蟀的鸣声。《不列颠百科全书》说它是：“直翅目蟋蟀科 Gryllidae 昆虫，因鸣声悦耳而闻名。约二千四百种……田野蟋蟀又称黑蟋蟀，常生活在田野或庭院，有时进入室内。”法布尔《昆虫记》第十三章：“在人们所熟悉的为数寥寥但享有盛名的昆虫中，居住于草地上的蟋蟀几乎同蝉一样著名。它的声誉来自于它的歌声和住所。”

《瓜豆集·谈七月在野》：“自夏至秋，听得虫声自远而近，到末了连屋里也有叫声，这样情景实是常有，诗中所写仿佛如此。‘十月蟋蟀入我床下’，这八字句我读了很是喜欢，但看到主观的一‘我’字又特别有感触，觉得这与平常客观地描写时物有点不同。”这一节话，实在比古来各家对《诗经》中“七月在野”的解说都更切实而近人情。

《鲁迅的故家·园里的动物》介绍蟋蟀，说它“是蛐蛐的官名，它(的鸣声)单独时名为叫，在雌雄相对，低声吟唱的时候则云弹琴，老百姓虽然不知道司马相如琴心的故事，但起这名字却极是巧妙，我也曾听过古琴专家的弹奏，比起来也似乎未必能胜得过。”

《亦报随笔·秋虫的鸣声》：“蟋蟀虽是斗虫，可是它独自深夜微吟时实在很有点悲哀，所以对于听的人多发生类似的感觉。乡下的小孩们解释它的歌词是‘浆浆洗洗，纽绊依依’，依字读去声，意思是说装上去。这与促织的意味相合，不过不是织布做新衣，只是修补旧衣预备御寒罢了。”

“关心蛐蛐阶前叫”，人与虫之间情感相关多在于此等处也。

“携笼灌破墙”说的是捉蟋蟀。刘侗《帝京景物略》有几句描写得最好：“秋七八月，游闲人提竹筒、过笼、铜丝罩，诣蓁草处、缺墙颓屋处、砖甓土石堆磊处，侧听徐行，若有遗亡，迹声所缕发，而穴斯得。”

周氏兄弟捉蟋蟀，有时和父亲的病有关，捉来不是为了听歌，更不是为了看它们打斗，而是替父亲办药引子。《知堂回想录》第十二节：“我们忙的是帮助找寻药引，例如有一次要用蟋蟀一对，且说明须要原来同居一穴的，这才算是‘一对’，随便捉来的雌雄两只不能算数。在百草园的菜地里，翻开土块，同居的蟋蟀随地都是，可是随即逃走了，而且各奔东西，不能同时抓到。幸亏我们有两个人，可以分头追赶。”这两个人，一个是周作人，另一个若不是哥哥自然便是弟弟了。

甲二三·中元

【原诗】　中元鬼节款精灵，莲叶莲华幻作灯。
明日虽扔今日点，满街望去碧澄澄。

【原注】　北京儿歌云："莲花灯，今儿点，明儿扔。"

【笺释】　农历七月十五中元节，为民俗祭祀先人的节日，长沙至今犹有"七月半烧包送寒衣"的习惯。唐韩鄂《岁华纪丽》："道门宝盖，献在中元；释氏兰盆，盛于此日。"意谓道教于此日祭拜三官(天官、地官、水官)普济孤魂；佛教于此日作"盂兰盆"(梵语"解倒悬"音译)超度饿鬼。这时道观里要立"灯篙"，放"水灯"；佛寺也要放"河灯"，作为一种超度的仪式。陆游《老学庵笔记》："(七月)俗以望日具素馔享先，织竹作盆盎状，贮纸钱，承以一竹焚之……谓之盂兰盆。盖俚俗老媪辈之言也。"可见在"中元鬼节"作盂兰盆的习俗在北宋时即已相当普及。

《丁亥暑中杂诗·中元》详细介绍了"鬼节款精灵"和"莲叶莲花幻作灯"的情形，全诗如下：

中元为鬼节，人家竞祭祖。照例十碗头㈠，荤素约半数。
今朝特严肃，供菜用全素。别制南瓜饼，有似古寒具。
蒸瓜取其肉，和面下油釜。炸作黄金色，甜味悦妇孺。
例必有西瓜，犬牙切交互。秋凉瓜价贵，千钱无买处。
再拜奠酒浆，分坐各散胙。若在乡村人，行事更多趣。
十五迎精灵，家家设炬火㈡。门前焚苎梗，迎神声凄楚。

我不信鬼神，人情知恋慕。闻此每愀然，如灵俨在户。
十六设祖饯，送神归地府。茄牛角峥嵘，瓜马足彳亍。
持此为神骑，跨之从此去。亦有莲花灯，荷叶置烛炬。
黄昏列队行，碧影满衢路。本意照幽冥，游戏属儿女。
今日明晃晃，明日委泥土。童谣㊂说无常，不知谁所谱。
会值盂兰盆，大旨无违忤。我本出田间，颇知人间苦。
语及旧风俗，情意多能喻。怀念乡村人，东望徒延伫。

㊀越俗，平常宴集，率用十簋，称为十碗头，多六荤四素或八荤二素，五荤五素不常有，兹云半数，实由趁韵也。㊁火字依俗读若虎。㊂北平童谣云：莲花灯，今儿点，明儿扔。小儿持灯游行街上，率同声歌之。

中元祭祖用“十碗头”，是绍兴普通席面常用的菜式。据《鲁迅的故家·忌日酒》介绍：“此荤素两全之席，总以十碗头为一席……第一碗照例是三鲜什锦……其次是扣肉……鱼用煎鱼或醋溜鱼，鸡用扣鸡或白鸡……素菜方面有用豆腐皮做的素鸡，香菇剪成长条做羹名白素鳝，千张（百叶）内卷入笋、干丝、香菇等物名曰素蛏子……”

祭祖的供品，据《绍兴的风俗习尚》：“外加西瓜（每盘一个，每个横剖作锯齿形，叠装成两个莲花座成一盘）两大盘，南瓜饼（红南瓜蒸熟去皮，抑糊，加粉和糖油煎成饼）两大盘。”

敦崇《燕京岁时记》：“中元黄昏以后，街巷儿童以荷叶燃灯，沿街唱曰：荷叶灯，荷叶灯，今日点了明日扔……市人之巧者，又以各色彩纸制成莲花莲叶花篮鹤鹭之形，谓之莲花灯。”

甲二四·中秋

【原诗】　红烛高香供月华，如盘月饼配南瓜。
虽然惯吃红绫饼，却爱神前素夹沙。

【原注】　中秋夜祀月以素月饼，大者径尺许，与木盘等大。

【笺释】　月华通常指月亮和月光，带上点神秘味则指月的精华。《药堂语录·中秋的月亮》："我回想乡间一般对于月亮的意见，觉得这与文人学者的颇不相同。普通称月曰'月亮婆婆'，中秋供素月饼水果及老南瓜，又凉水一碗。妇孺拜毕，以指蘸水涂目，祝曰'眼目清凉'。相信月中有娑罗树，中秋夜有一枝落下人间，此亦似即所谓'月华'，如不幸落在人身上，必成奇疾，或头大如斗，必须斫开，乃能取出宝物也。"

至于中秋供月和吃月饼的习俗，则全国各地大同小异。敦崇《燕京岁时记》："至十五月圆时，陈瓜果于庭以供月，并祀以毛豆、鸡冠花……惟供月时，男子多不叩拜。故京师谚曰：'男不拜月，女不祭灶。'"下文又云："供月月饼，到处皆有，大者尺馀，上绘月宫蟾兔之形。有祭毕而食者，有留至除夕而食者，谓之团圆饼。"

观鱼《绍兴的风俗习尚》："绍地祀月的仪式是燃一对一两起，二两、四两、半斤、一斤的红烛，供一个自四两起，半斤、一斤、二斤、五斤、十斤的大月饼，配水果四色，和南瓜、西瓜、北瓜于桌上，由孩儿们磕几个头，守至烛残月西而罢。切月饼为若干块，分饷男女大小以及佣工仆妇。"

二〇一六年第三期《中华遗产》杂志介绍了民国时期晋中地区的一件制月饼的模具，由一块独板雕成，长宽均达五十厘米。五斤十斤重的“如盘月饼”，就都是用这样的木模压制成的。

“红绫饼”现在则已经很少见。《亦报随笔·南北的点心》说，过去绍兴的“甲类有各种月饼限于秋季，乙类红绫饼、良湖月饼等则通年有之”。《知堂回想录》二二节谈县考场中吃食，云“有的只带些干粮就满足了，如松子糕、枣子糕、红绫饼”等，可见它本是周作人少时“惯吃”的点心。据绍兴市食品厂张树源君函告：“红绫饼已停产多年。它是一种径约寸半厚约三分的圆饼，酥皮烤成金黄色，一面正中盖有红色■形印记，馅用乌豇豆、白砂糖制成细沙，加核桃肉、金橘饼，每市斤十六只，口味酥松香甜。”其实如张君所述的这种饼，五六十年前长沙“三吉斋”等南食店亦曾制作供应，我们称之曰“绍兴饼子”，不知为何后来却慢慢地不见了。

红绫饼古为宫廷美食，宋人《避暑录话》：“唐御膳以红绫饼啖为重……(卢延让)后入蜀为学士，既老，颇为蜀人所易。延让诗素平易近俳，乃作诗云：莫欺零落残牙齿，曾吃红绫饼啖来。”这传统一直延续到了清朝。《熙朝新语》记康熙十八年三月初一日试博学鸿词赐宴，肴果后“用馒首、卷子、红绫饼、粉汤”，陪宴者大学士、掌院学士满汉各二员，馀官不与，可见隆重。

“素夹沙”即是素油制作的豆沙月饼。顾张思撰《土风录》卷五：“饼饵馅以赤豆末、红糖炒之，曰豆沙”，炒时须加油也。

甲编附记

【原文】　儿童生活诗实亦即是竹枝词，须有岁时及地方作背景。今就平生最熟习的民俗中取材，自多偏于越地，亦正是不得已也。

【笺释】　作者说这些诗即是竹枝词。朱自清《中国歌谣》曾经说过："《词律》云，'竹枝之音，起于巴蜀唐人所作，皆言蜀中风景。后人因效其体，于各地为之。'这时竹枝已成了一种叙述风土的诗体了。"周氏之所以自认为竹枝词，即因为这些都是咏风土写人情之作。

《过去的工作·关于竹枝词》："以七言四句，歌咏风俗人情，稍涉俳调者，乃是竹枝正宗，但是后来引申，咏史事，咏名胜，咏方物……名称或为百咏，或为杂咏，体裁多是七言绝句……其性质则专咏古迹名胜，风俗方物，或年中行事，抑或有歌咏岁时之一段落如新年，社会之一方面如市肆或乐户情事者，但总而言之可合称之为风土诗，其以诗为乘，以史地民俗的资料为载，则固无不同。"这节话将竹枝词——风土诗的文化地理和文化历史的价值，说得非常之明白了。

此一卷《儿童生活诗》的内容，或"歌咏岁时一段落"如新年、上元、立夏、端午，或描写"年中行事"如上学、扫墓、驱蚊、捉蟋蟀，取材多出于作者儿时在绍兴的记忆，“偏于越地”不仅不是它的短处，能详记一时一地的“土风民俗”，反而恰恰是其具有特殊价值的长处。

《关于竹枝词》文中曾引朱彝尊作《鸳鸯湖棹歌》之十九(锺按：十九为十八之误)：“姑恶飞鸣触晓烟，红蚕四月已三眠。白花满把蒸成露，紫葚盈筐不取钱。”说：“这样的诗我也喜欢，但是我所更喜欢的乃是诗中所载的‘土风’。”这诗的首句被用入丙之十六《姑恶鸟》，只是“触晓烟”三字变成了“绕暮烟”，或据别本。

《立春以前·十堂笔谈》说风土志一类的书，“所记的大都是一地方的古迹传说，物产风俗，其事既多新奇可喜，假如文章写得好一点，自然更引人入胜……更令读者感觉对于乡土之爱……假如另外有人，对于中国人的过去与将来颇为关心，便想请他把史学的兴趣放到低的广的方面来，从读杂书的时候起离开了廊庙朝廷，多注意田野坊巷的事，渐与田夫野老相接触，从事于国民生活之史的研究，虽是寂寞的学问，却于中国有重大的意义。”

接下去作者还语重心长地讲了一段话，表示了他以竹枝词这种形式来记叙越地风土时所抱的一点希望：“古人曾说，有乡下老吃芹菜觉得很美，想去献给贵人，贵人放到口里去只觉得辣辣的，我所做的有点相像也未可知。但是水芹菜现在吃的人很多，因此不妨引以自慰，我的芹菜将来也会有人要吃的吧。”

乙编 · 儿童故事诗

乙之一·老子

【原诗】 当年李耳老而孩，奇事差堪比老莱。
想见手持摇咕咚，白头卧地哭咳咳。

【原注】 《神仙传》云，李母怀胎八十一年而生老子。摇咕咚，玩具小鼗鼓也，咕咚读若骨栋。《二十四孝图》常画老莱子手持此鼓，倒卧地上。

【笺释】 周作人在本书后记里说，儿童故事诗“本应多趣味”，所以这一首写老子只讲其“母怀胎八十一年”，又把“二十四孝”中的“斑衣戏彩”一节扯进来，完全是讲故事了。

《史记》列传中述老子，本就含有传说的成分，如说“老子百有六十馀岁，或言二百馀岁”之类，容得后人来编故事。《太平广记·神仙一》：“老子者，名重耳，字伯阳，楚国苦县曲仁里人也。其母感大流星而有娠，虽受气天然，见于李家，犹以李为姓。或云，老子先天地生。或云，天之精魄，盖神灵之属。或云，母怀之七十二年乃生，生时剖母左腋而出，生而白首，故谓老子。”

老莱子故事说法不一。《列女传》：“老莱子孝养二亲，行年七十，婴儿自娱，着五色彩衣，尝取浆上堂，跌仆，因卧地为小儿啼，或弄乌鸟于亲侧。”鲁迅《二十四孝图》据日本小田海仙画本，所引则云其“又常取水上堂，诈跌仆地，作婴儿啼，以娱亲意”。

一个说“尝”跌倒，一个说“常”诈装跌倒。鲁迅便抓住这个“诈”字做文章，说老莱子的故事“将肉麻当作有趣一般，以不情为伦纪，诬蔑了古人，教坏了后人。”这话说得特重，也许过重，但愿他说的是故事的作者，不是老莱子。

在这件事情上，周作人的看法也差不多。《鲁迅小说里的人物·摇咕咚》：“老莱子在古书上只说是为亲取饮，上堂脚跌，恐伤父母之心，僵仆为婴儿啼。后人变本加厉，却说他是诈跌仆地，不但诈伪不道德，也实在很是肉麻。”

既然如此，为什么还要写这首诗呢？恐怕完全是为了“摇咕咚”，就是“白头卧地哭咳咳”的老莱子手里拿的那玩意儿吧。“这玩意儿确是可爱的”，鲁迅《二十四孝图》说：“北京称为小鼓，盖即鼗也。朱熹曰，‘鼗，小鼓，两旁有耳，持其柄而摇之，则旁耳还自击’，咕咚咕咚地响起来。”

《摇咕咚》文中则介绍道：“摇咕咚是乡下小孩的玩具，这是很普通的东西，大概各地方都有，一定也有很好的名字，就只可惜我不知道，也要怪古来拿笔杆的多是正统文人，不曾给我们记录一点下来。小时候在书房里读《论语》，至《微子第十八》‘太师挚适齐’这一章，一大班乐官风流云散，大有寂寞之感，可是在‘播鼗武入于汉’之下，读朱注那一段，又不禁微笑，因为那里解释摇咕咚形容得恰好，虽然平常不喜欢朱文公， 这里也不无好感了……那几句原是宋初邢昺的《论语疏》的话，他其实还是从汉末郑玄的《周礼注》里抄来的。”

郑玄《周礼注》的原文是：“鼗如鼓而小，持其柄摇之，旁耳还自击。”邢昺《论语疏》全文照抄，只在首句下加了“有两耳”三字。朱熹《论语集注》也是照抄的。

乙之二·晋惠帝

【原诗】　满野蛙声叫咯吱，累他郑重问官私。
童心自有天真处，莫道官家便是痴。

【原注】　案惠帝当时已非童年，兹但取其孩子气耳。

【笺释】　晋惠帝司马衷，为武帝司马炎之子，有名的活宝皇帝。《水经注》引《晋中州记》："惠帝闻蛙鸣，问官蛙私蛙。太子令贾胤对曰，在官为官蛙，在私为私蛙。帝曰，若是官蛙，可给廪。"

古人集中在一起干活，总是为官(公家)的时候多，为私的时候少。修城墙，修宫殿，都是为官；这时总是大声吆喝歌唱，以求提高工效，减轻劳累。晋惠帝听到过这种喧闹，虾蟆鸣叫时才会问，它们在"为官乎"还是"为私乎"，说若是为官就该给饭吃。这简直在"发宝气"，岂止是孩子气！

晋惠帝为弱智见诸史传明文。《晋书》："帝之为太子也，朝廷咸知不堪政事，武帝亦疑焉。尝悉召东宫官属，使以尚书事令太子决之，帝不能对。贾妃遣左右代对，多引古义。给事张泓曰：'太子不学，陛下所知，今宜以事断，不可引书。'妃从之，泓乃具草，令帝书之，武帝览而大悦，太子遂安。及居大位，政出群下，纲纪大坏……帝又尝在华林园，闻虾蟆声，谓左右曰：'此鸣者为官乎？私乎？'或对曰：'在官地为官，在私地为私。'及天下荒乱，百姓饿死，帝曰：'何不食肉糜？'其蒙蔽皆此类也。"

“何不食肉糜”的故事，流传得比问虾蟆更广泛，几乎被当作昏君的典型。其实惠帝之“昏”不过糊涂幼稚得可笑而已，比起路易十四明知“朕死之后有洪水来”还要纵恣荒淫，隋炀帝已在怕“好头颅不知为谁人斫去”还要残民以逞，总还要好一些。

惠帝的父亲是司马炎，祖父是司马昭，曾祖父是司马懿，这三位可都是厉害得很的“雄猜之主”。有人说，“雄猜之主，后必不昌”，不遭报应横死也会得精神病，隔代遗传还会成为白痴半白痴，惠帝即是一例。老百姓受够了他爷爷的统治迫害，见到这样的“现世宝”丢人现眼成为笑柄，也可以舒一舒心，解一解气。至于后来他的羊皇后被前赵刘曜抢去睡了以后，竟乐孜孜地说从此“始知天下有丈夫”，作为男人窝囊废到了这样的程度，他就只能够使人恶心了。

“满野蛙声叫咯吱”的热闹，周作人儿时也经历过。庚子年四月初十日他到安桥头舅家作客，十四日日记云：“四野蛤声阁阁，如合拍然，清夜闻之，不能成睡，真可当两部鼓吹也。”

“为官乎？为私乎？”的名言，周氏文中亦曾袭用。《瓜豆集·结缘豆》：“我写文章，平常自己怀疑，这是为什么的：为公乎？为私乎？一时也有点说不上来……”当然这不过是在“我田引水”，与晋惠帝毫不相干了。

这一首和乙之五和乙之七共三首诗，原来《亦报》刊出时并无插图（报上作过说明），遂请戴文葆转请毕克官补画。丰一吟亦曾补画，用在中华书局印行的第二版上。

乙之三·赵伯公

【原诗】　小孩淘气平常有，惟独赵家最出奇。

祖父肚脐种李子，几乎急杀老头儿。

【原注】　《太平御览》引《笑林》，赵伯公体肥大，夏日醉卧，孙儿以李子纳其脐中，赵未之知，后汁出则大惊恐，谓肠烂将死，及李核出，乃始释然。

【笺释】　赵伯公故事，原注云出《太平御览》引《笑林》。《隋书经籍志》有《笑林》三卷，后汉给事中邯郸淳撰，书久佚。清马国翰《玉函山房辑佚书》存邯郸淳《笑林》一卷，鲁迅《古小说钩沉》亦辑得有《笑林》二十九则，其八云：

"赵伯公(《类林》作翁)为人肥大，夏日醉卧，有数岁孙儿缘其肚上戏，因以李子八九枚内胐脐中。既醒，了不觉；数日后，乃知痛。李大烂汁出，以为脐穴(《琱玉集》引作脓)，惧死，乃命妻子处分家事，泣谓家人曰：'我肠烂将死。'明日，李核出，寻问，乃知是孙儿所内李子也。"

《古小说钩沉》这一条，说明是据《御览》三百七十一又九百六十八、《琱玉集》十四、《类林》杂说十。今查中华书局影印本《太平御览》，卷三百七十一"人事部"一二《脐》所引《笑林》的文字却是：

"魏伯翁肥大，夏日醉卧，孙儿缘其肚上戏，因以李八九枚内脐中。至后日，李大烂汁出，乃泣谓家人曰：'我肠烂将死。'明日，李核出，乃知孙儿所内李子也。"

而卷九百六十八“果部”五“李”所引的文字又有所不同，成了：“赵伯翁醉眠，数岁孙儿缘其腹戏，因以李子内其肶脐中，累七八枚。既醒，了不觉。后数日，乃知痛。李烂汁出，以为脐穴，惧死，乃命妻子处分家事。李核出，寻问，乃知是孙儿所为。”

文字异同且不说，故事主人公究竟是谁，是“赵伯公”还是“魏伯翁”还是“赵伯翁”呢？如果据《太平御览》引《笑林》，则只能是“魏伯翁”或者“赵伯翁”，看来只能是据《古小说钩沉》的了。王利器编《历代笑话集》引马国翰辑本作“魏伯公”，又有了第四者。也许当时的确有过这么一位姓魏或姓赵的大胖子，《类林》有“伯翁妹肥于兄”一条似乎可证，但更有可能这都是传闻异辞所造成的吧。

儿童故事诗都是通过人物来说故事，这一首所写的人物却与其他各首不同，他并不是老子、惠帝和陶渊明、杜子美这样的名人，就连是姓赵还是姓魏人们有时也搞不清，只知道曾经有过这么一个大胖子罢了。

这本是民间故事的一种特色，就只是逗趣好玩，并没有甚么高深的含意，里头的人物叫张三叫李四都可以，亦犹丫环之唤作梅香，泼皮之称为牛二。

顺便说一点：主人公的肚脐眼里放进李子“累八九枚”还“了不觉”，未免过于宽深，简直超了张仁封的“长二寸”，倒不如丰子恺所画偷偷纳入一枚之较近情理也。

乙之四·陶渊明责子

【原诗】　但觅栗梨殊可念，不好纸笔亦寻常。

陶公出语慈祥甚，责子诗成进一觞。

【原注】　黄山谷跋《责子》诗云："观靖节此诗，想见其人，慈祥戏谑可观也。"

【笺释】　陶渊明名潜，东晋浔阳柴桑即今江西九江人。诗有二首，本首今题作"陶渊明责子"。其《责子》诗原文是：

> 白发被两鬓，肌肤不复实。虽有五男儿，总不好纸笔。
> 阿舒已二八，懒惰故无匹。阿宣行志学，而不爱文术。
> 雍端年十三，不识六与七。通子垂九龄，但觅梨与栗。
> 天运苟如此，且进杯中物。

从表面上看，这诗是在埋怨五个儿子全都懒得读书。但陶公本是个不慕荣利的人，自己读书也不求甚解的。小孩子"不好纸笔"，"但觅梨栗"，在他看来本"亦寻常"，用不着如何着急生气。在这里以自嘲的口气吟几句，正可以看出他的随和与旷达，而真挚的父爱亦即在其中了。

集外文《杜少陵与儿女》："对于此诗，古来有好些人有所批评，其中唯黄山谷跋语说得最好：'观靖节此诗，想见其人，慈祥戏谑可亲也。俗人便谓渊明诸子皆不肖，而渊明愁叹见于诗耳，所谓痴人前不得说梦也。'……陶诗题目虽是'责子'，似乎是很严肃的东西，其实内容是很诙谐的，其第五联最是明了，如果十三岁的小孩真是连六与七还不懂，那么这是道地的白痴，岂止不肖而已。山谷说他戏谑，极能了解这诗的意味，又说慈祥，则又将作者的神气都说出来了。……正如人见了小孩的说话行动，常不禁现出笑容来一样，他们如在诗文图画里出现时，也自有其一种和蔼的气氛，这就是所谓慈祥戏谑可亲了。”

《自己的园地·歌咏儿童的文学》介绍日本儿童文学，因而谈到中国写儿童的诗：“陶渊明的《责子》诗要算是最好，因为最是真情流露，虽然戴着一个达观的面具。”达观也好，自嘲也好，在山谷和知堂看来，都是一个面具；《责子》诗本意还在“嘉孺子”，亦即对小孩的爱怜，所以才能以“慈祥戏谑”的态度出之。如果认为“渊明诸子皆不肖”，五柳先生镇日为了五个不肖之子愁眉苦脸，只能以酒浇愁，那就真成山谷所嗤的“俗人”了。

从这个意义上看，丰氏的插图似不太理想，坐在一旁“且进杯中物”的父亲神气虽还慈祥，戏谑的空气却感觉不到，只见五男儿或废书呆坐，或搬弄玩具，或双手捧着梨儿大啃，那么五柳先生家成了弱智儿童收养院，先生还怎么能够有心情写诗作文？

《山谷题跋·书陶渊明责子诗后》原文是：“观渊明之诗，想见其人，恺悌慈祥，戏谑可观也。俗人便谓渊明诸子皆不肖，而渊明愁叹见于诗，可谓痴人前不得说梦也。”两份手迹亦均作“慈祥戏谑可观”，《杜少陵与儿女》文中“可观”却成了“可亲”，今两存之。

乙之五·稚子候门

【原诗】 离家三月旋归去，三径如何便就荒。
稚子候门倏不见，菊花丛里捉迷藏。

【笺释】 本首原为“陶渊明”之二，今题“稚子候门”，因为它的本事就是《归去来辞》中的“僮仆欢迎，稚子候门。三径就荒，松菊犹存。携幼入室，有酒盈樽”这几句，表现出他辞官归来得以享受亲子之情的满足。

《宋书》：“陶潜字渊明……亲老家贫，起为州祭酒，不堪吏职，少日自解归。州召主簿，不就，躬耕自资，遂抱羸疾。复为镇军、建威参军，谓亲朋曰：‘聊欲弦歌，以为三径之资，可乎？’执事者闻之，以为彭泽令……郡遣督邮至县，县吏白应束带见之，潜叹曰：‘我不能为五斗米折腰向乡里小人。’即日解印绶去职。”

有名的《归去来辞》，就是此时之作，节录如下：

归去来兮，田园将芜，胡不归。既自以心为形役，奚惆怅而独悲。悟已往之不谏，知来者之可追。实迷途其未远，觉今是而昨非。舟摇摇以轻飏，风飘飘而吹衣。问征夫以前路，恨晨光之熹微。乃瞻衡宇，载欣载奔。僮仆欢迎，稚子候门。……已矣乎，寓形宇内复几时，曷不委心任去留，胡为乎遑遑欲何之。富贵非吾愿，帝乡不可期。怀良辰以孤往，或植杖而耘耔。登东皋以舒啸，临清流而赋诗。聊乘化以归尽，乐夫天命复奚疑。

又别传有云：陶渊明“为彭泽令，在官八十馀日。”

“在官八十馀日”，岂不是“离家三月旋归去”吗？“三径就荒，松菊犹存”，陶公喜种菊，“采菊东篱下，悠然见南山”，院子里菊花一定成丛。候门的稚子倏然不见，大概是躲入花丛中想和父亲玩捉迷藏游戏吧。周作人心目中的陶公对小孩是慈祥的，好不容易甩掉乌纱帽，载欣载奔地赶回家来，如此这般戏谑一回也是很有可能的。

关于陶渊明对儿子的态度，《立春以前·关于教子法》引俞正燮论陆放翁教子诗篇，案云：“俞理初此文甚有情致，不特能了知陆放翁，对于小孩亦大有理解。所引放翁句中，我觉得有两处最为切要。其一云，‘阿纲学书蚓满幅……’。其二云，‘野蔓不知名，丹实何累累，村童摘不诃，吾亦爱吾儿’。此在古人盖已有之，最显著的是陶渊明……昭明太子所撰陶渊明传中叙其为彭泽令时事云：‘不以家累自随，送一力给其子，书云：汝旦夕之费，自给为难，今遣此力，助汝薪水之劳。此亦人子也，可善遇之。’《南史·隐逸传》中亦载此一节，虽未知真实性如何，当是可能的事。《与子俨等疏》中云：‘汝等稚小，家贫无役，柴水之劳，何时可免，念之在心，若何可言。’遣力之说或即由此生出，亦未可知。”

怕儿子不能胜任“柴水之劳”，雇个人去帮着干家务，不过出乎寻常顾惜儿子的父爱；但能教给儿子们知道，雇来的此苦力“亦人子也(亦是他爸妈的儿子)，可善遇之(也得好好地顾惜他)”，这就是“幼吾幼以及人之幼”，爱心更广大了。

乙之六·杜子美羌村

【原诗】　杜陵野老有情痴，凄绝羌村一代诗。

偶遂生还还复去，膝前何以慰娇儿。

【原注】　子美《羌村》云：“世乱遭飘荡，生还偶然遂。”又其二云：“娇儿不离膝，畏我复却去。”

【笺释】　乙之六、七、八原题均为“杜子美”即杜甫。本首全从杜甫《羌村三首》中取材，今题作“杜子美羌村”。

羌村是杜甫从陕西往四川逃难途中居停之处。他在乱离中与家人分别，得遂生还，儿女对父亲的依恋，父亲对儿子的爱怜，都充分表现在《羌村三首》中了。其一云：

峥嵘赤云西，日脚下平地。柴门鸟雀噪，归客千里至。

妻孥怪我在，惊定还拭泪。世乱遭飘荡，生还偶然遂。

邻人满墙头，感叹亦歔欷。夜阑更秉烛，相对如梦寐。

其二云：

晚岁迫偷生，还家少欢趣。娇儿不离膝，畏我复却去。

忆昔好追凉，故绕池边树。萧萧北风劲，抚事煎百虑。

赖知禾黍收，已觉糟床注。如今足斟酌，且用慰迟暮。

其三云：

群鸡正乱叫，客至鸡斗争。驱鸡上树木，始闻叩柴荆。

父老四五人，问我久远行。手中各有携，倾榼浊复清。

苦辞酒味薄，黍地无人耕。兵革既未息，儿童尽东征。

请为父老歌，艰难愧深情。歌罢仰天叹，四座泪纵横。

集外文《杜少陵与儿女》:“嘉孺子而哀妇人,古人以为圣王之用心,却也是文艺中重要成分,便是杜子美自己的著作里也是如此,而且比起别人来还要比较的多些……杜陵野老是个严肃的诗人,身际乱离,诗中忧生悯乱之气最为浓厚,写到家庭的事也多是逃难别离之苦。”正可用作《羌村三首》的说明。

《药堂杂文·中国文学上的两种思想》论杜诗:“确如东坡所云, 可以见其忠义之气,但如说其诗的价值全都在此,那有如说茶只是热得好,事实当然未必如此。”接着历举“二哀”“二吏”和“三别”、《彭衙行》《羌村三首》诸诗道:“这些虽然未能泣鬼神,确有惊心动魄之力,此全出于慈爱之情,更不分为己为人,可谓正是文艺的极致。‘世乱遭飘荡,生还偶然遂’,我们现在读了,能不感到一种怅惘?我不懂得诗,尤其不敢来讲杜少陵的事情,这里只是乱抓的抓到他,请他帮我证明一下,为君主的思想怎样的做不成好诗,结果倒是翻过来,好诗多是忧生悯乱的,这就是为人民为天下的思想的产物。”

这里可以补充来说一句,要为人民,儿童即是人民中最弱小的分子。弄到“儿童尽东征”,人民复有何生趣呢?

《杜少陵与儿女》说“娇儿不离膝”两句,“向来有两种不同的说法,其一是说小孩不肯离膝,怕我会得还要去的……其二则是说小孩有点怕我,所以虽是不离膝,却是随即走开了”。

“畏我复却去”,周作人一九五〇年和一九六六年的手迹均将“复却去”写成“却复去”了。

乙之七・儿烦恼

【原诗】 诗人省识儿烦恼，痴女痴儿不去怀。
稚子恒饥谁忍得，凄凉颜色迫人来。

【原注】 《彭衙行》云，“痴女饥咬我，啼畏虎狼闻”；《百忧集行》云，“痴儿未知父子礼，叫怒索饭啼门东”；《狂夫》第三联云，“恒饥稚子色凄凉”。此在他人诗中，皆不能见到者也。

【笺释】 本首原为“杜子美”之二，现改题作“儿烦恼”，用首句中语也。

《立春以前·关于教子法》：“日本语中有儿烦恼一语，在中国难得恰好对译之辞。大抵疼爱小儿本是人情之常，如佛教所说正是痴之一种，称之曰烦恼甚有意思。但如扩充开去，幼吾幼以及人之幼，更客观的加以图写歌咏，则此痴亦不负人，殆可称为伟大的烦恼矣。《庄子·天道篇》：尧告舜曰，‘吾不虐无告，不废穷民，苦死者，嘉孺子而哀妇人，此吾所以用心也’。此圣人之言，所谓嘉孺子者岂非即是儿烦恼的表现？如今拿来作解释，当不嫌我田引水也。”这一段话，阐明了周作人对儿童问题和儿童文艺的看法的核心。

“我田引水”也是一句日本话，一九五六年十月三十一日周作人与孙旭升书云：“‘我田引水’系日本成语，意思是说农夫把水往自己田里引去，譬喻说及问题喜欢把自己拉上。”

原注引杜诗“啼畏虎狼闻”，原出《彭衙行》，今节抄如下：

忆昔避贼初，北走经险艰。夜深彭衙道，月照白水山。
尽室久徒步，逢人多厚颜。参差谷鸟吟，不见游子还。
痴女饥咬我，啼畏虎狼闻。怀中掩其口，反侧声愈嗔。
小儿强解事，故索苦李餐……

《亦报随笔·马熊拖人》："好几星期之前，有一个同乡来看我……问他子女的情形，他的长子我是看见过的，底下还有几个，其中一个在五六岁的时候，据他说在山乡避难，给马熊拖去了。我听了很是骇然，一直有好些日子心里觉得很不舒服。小时候常听说马熊拖人，有祖坟所在乌石头地方的坟邻的小儿，在门口剥豌豆，被马熊攫去，其母哭得眼瞎……杜子美《彭衙行》云：痴女饥咬我，啼畏虎狼闻。这也是逃难时事，我当初以为是指贼军，现在想来难道真是说的野兽么？"

关于马熊，一九六六年三月十日周作人与孙旭升书又云："这件事大属疑问，大概事实是一种豺狼，看见的人于惊慌中觉得它似乎很高大，只听它走路阁阁有声，其实有蹄的兽都不是食肉的。"范寅《越谚》亦云："豺狼出山拖人，呼为马熊。"

子美《狂夫》句："厚禄故人书断绝，恒饥稚子色凄凉。""恒饥"一九六六年手迹笔误作"恒饿"了。

《杜少陵与儿女》："《百忧集行》：'忆年十五心尚孩，健如黄犊走复来。庭前八月梨枣熟，一日上树能千回。'又末云：'痴儿未知父子礼，叫怒索饭啼门东。'……皆写小儿琐事，饶有情致。""父子礼"手迹均误作"儿子礼"。

乙之八·敲针作钓钩

【原诗】　乡间想无杂货店，稚子敲针作钓钩。
但有直钩无倒刺，沙滩只好钓泥鳅。

【原注】　“稚子敲针作钓钩”，杜句。案泥鳅本亦不易钓，姑趁韵耳。水边有一种小鱼，伏泥上不动，易捕取，俗名“步泥拖”，不知其雅名云何也。

【笺释】　这首原为“杜子美”之三，据本事改题作“敲针作钓钩”。（插图画的却是“老妻画纸为棋局”。）

前两首也是通过杜诗写杜子美自家的小孩，气氛却都很沉重。因为《羌村》和《彭衙行》本是乱离之作，亲子之爱在那时只能开出暗淡的花。但人们总是“好了伤疤忘了痛”的，只要压力稍微减轻，便会尽量从极平凡的日常生活去寻求和享受他的幸福并觉得满足，此盖是人的不幸，也可说是人之大幸吧。

《杜少陵与儿女》一文中说，杜诗写家庭的事虽“多是逃难别离之苦，可是仍有不少歌咏儿童生活的部分”，并举“老妻画纸为棋局，稚子敲针作钓钩”等句为例。

《自己的园地·歌咏儿童的文学》介绍日本竹久梦二画的“一卷极好的儿童诗选集”，说日本的儿童诗比中国多，“我们平常记忆所及的诗句里，不过‘闲看儿童捉柳花’和‘稚子敲针作钓钩’之类罢了”。日本有《枕之草纸》“说及儿童之美，是歌咏儿童的文学的标本”，又有竹久梦二“用柔软的笔致，写儿童生活的小景”，“中国就很难寻到适例”。

《谈龙集·〈忆〉的装订》：“里边有丰子恺君的插画十八幅，这种插画在中国也是不常见的。我当初看见平伯所持画稿，觉得很有点竹久梦二的气味……后来见佩弦的文章，大约是丰君《漫画集》的题词吧，显明地说出梦二的影响。日本的漫画……发达到现在，梦二所作除去了讽刺的意味，保留着飘逸的笔致，又特别加上艳冶的情调，所以自成一路……中国有没有这种漫画，我们外行人不能乱说，在我却未曾见到过，因此对于丰君的画不能不感到多大的兴趣了。”此文作于一九二六年二月。

二十四年后，一九五〇年二月，《儿童杂事诗》在《亦报》开始逐日刊登，署名“东郭生作诗，丰子恺插图”。此时“周作人”已“不能见报”，画家则名重一时，但仍乐意天天为作插画，是否与廿四年前周氏上面几句话有关?

又过了十三年，一九六三年四月四日给潘耀明的信中，周氏却又说道：“丰子恺为插画，乃系报馆的好意请其作画者。丰君的画，我向来不甚赞成，形似学竹久梦二者，但是浮滑肤浅，不懂‘滑稽’趣味，殆所谓海派者。”态度有所不同了。

《越谚》中卷水族部：“步泥妥，湖畔塝边吹沙小鱼，体圆有斑。”顾张思《土风录》：“吐哺鱼，本名土附，以其附土而行，不似他鱼浮水也。《镇洋志》作‘土鲋’，俗呼土步。”

泥鳅本不易钓，钓的可能只是这种小鱼了。

乙之九·李太白

【原诗】　太白儿时不识月，道是一张白玉盘。
无怪世人疑胡种，蒲萄美酒吃西餐。

【原注】　太白《古朗月行》云："小时不识月，呼作白玉盘。" 今人或有以太白为胡人，亦犹说墨子是印度人之比耶。

【笺释】　李白字太白。月亮很容易引起儿童的想象，尤其在从前没有这么明亮的电灯光的时候。我们这些远不如李白聪明的人，小时候也不知多少次对着它唱过"月亮走，我也走"，唱过"月亮光光，照遍四方"，寄托过自己无边的想象。

南朝鲍照有《朗月行》，"朗月出东山，照我绮窗前……"故刻本《李太白集·古朗月行》题下注云："鲍照有朗月行，疑始于照"，解释李白何以要在题目前加个"古"字。《古朗月行》全诗云：

> 小时不识月，呼作白玉盘。又疑瑶台镜，飞在青云端。
> 仙人垂两足，桂树何团团。白兔捣药成，问言与谁餐。
> 蟾蜍蚀圆影，大明夜已残。羿昔落九乌，天人清且安。
> 阴精此沦惑，去去不足观。忧来其如何，凄怆摧心肝。

此诗周作人儿时即曾熟读，证据是己亥(一八九九)年十一月十二日记云："酉刻暮日如火，望之如一轮珊瑚盘，昔李太白误月为白玉盘，同一笑也。"

李白的籍贯历来说法不一。他曾自称"山东李白"；《与韩荆州书》又云，“白陇西布衣，流落楚汉”；《上安州裴长史书》则云，“白本家金陵，世为右姓”。而范传正《唐左拾遗翰林学士李公新墓碑》却说：“公名白，字太白，其先陇西成纪人……隋末多难，一房被窜于碎叶。”李阳冰《草堂集序》则说：“李白字太白，陇西成纪人……中叶非罪，谪居条支。”由中亚以至阿拉伯，越说越远。

一九三五年陈寅恪《李太白氏族之疑问》(《清华学报》十卷一期)：“夫以一原非汉姓之家，忽来从西域，自称其先世于隋末由中国谪居于西突厥旧疆之内，实为一必不可能之事。则其人之本为西域胡人，绝无疑义矣。”一九七一年郭沫若《李白与杜甫·李白出生于中亚碎叶》，更加坚持此说。而原注云“今人或有以太白为胡人，亦犹说墨子是印度人之比耶”，否定的态度十分明白。

“说墨子是印度人”的是胡怀琛，他曾在《东方杂志》第二十五卷第八号和第十六号(一九二八年四月和八月)发表《墨翟为印度人辨》和《墨翟续辨》，据“墨”字本义为黑，“翟”与“狄”同音，考证墨翟可能为印度人。鲁迅《伪自由书后记》：“胡怀琛虽然和我不相干,《自由谈》上是嘲笑过他的‘墨翟为印度人说’的。”此指《申报·自由谈》一九三三年三月二十日登出鲁迅的《文摊秘诀十条》，其五云：“须设法证明墨翟是一只黑野鸡……”很明显，鲁迅和周作人，是并不认同胡怀琛和郭沫若们的这类“考证”的。

乙之十·贺季真

【原诗】 故里归来转陌生，儿童好客竞相迎。
乡音未改离家久，赢得旁人说拗声。

【原注】 越人称外乡语皆曰“拗声”。

【笺释】 贺知章（字季真，唐越州永兴即今杭州萧山人）的《回乡偶书》这首七言绝句，收入了《唐诗三百首》，传诵极广。

古时交通不发达，人们很少离开家，离开了便不大容易回来，才会出现贺诗描述的这种情况：“少小离家老大回，乡音无改鬓毛衰。儿童相见不相识，笑问客从何处来。”若在现代，则无论城乡，见到陌生面孔，还有哪位小朋友会去问“客从何处来”呢?

乙之十的这幅插图也十分巧妙，题词后特别用小字注明了是“古诗今画”，这一点说明了丰子恺的高明，他毕竟不同于普通的画师。因为画中人雨伞挑包袱，手提旧藤箧，一副流浪老人归家模样，比起贺知章天宝三年回乡时的气派来，差别实在太大，如果不注明，那就成笑话了。

《旧唐书·文苑传》：“贺知章，会稽永兴人，太子洗马德仁之族孙也。少以文词知名，举进士……迁太子宾客、银青光禄大夫兼正授秘书监。知章性放旷，善谈笑，当时贤达皆倾慕之……晚年尤加纵诞，无复规检，自号‘四明狂客’，又称‘秘书外监’，遨游里巷。醉后属词，动成卷轴，文不加点，咸有可观。又善草隶书，好事者供其笺翰，每纸不过数十字，共传宝之……天宝三载，知章因病恍惚，乃上疏请度为道士，求还乡里，仍舍本乡宅为观。上许之，仍拜其子典设郎曾为会稽郡司马，仍令侍养。御赐诗以赠行，皇太子已下咸就执别”。真是阔气得很，哪会是插图中画的这样一副寒酸相？

贺知章的放旷，他的朋友杜甫和李白的诗中都有反映。杜甫《饮中八仙歌》：“知章骑马似乘船，眼花落井水底眠。”李白《对酒忆贺监二首》一：“四明有狂客，风流贺季真。长安一相见，呼我谪仙人。昔好杯中物，今为松下尘。金龟换酒处，却忆泪沾巾。”描写得都十分传神。

贺知章请度为道士，和李白学道求仙一样，不过是名士风流的一种表现，却造成了不少传说故事。《太平广记·神仙四十二》云：“（有王老）善黄白之术，贺素信重，愿接事之。后与夫人持一明珠，自云在乡日得此珠，保惜多时，特上老人，求说道法。老人即以明珠付童子，令市饼来。童子以珠易得三十馀胡饼，遂延贺。贺私念宝珠持以轻用，意甚不快。老人曰：‘夫道者，可以心得，岂在力争，悭惜未止，术无由成，当须深山穷谷，勤求致之，非朝市所授也。’”经过老人这样一点化，贺知章就大彻大悟，丢掉大官不做，自请还乡修道，结果终于成为神仙了。

但绍兴人好像并不承认这些，在当地并没有留下什么贺神仙的遗迹。到现在保存在普通人心里的，好像也只有“少小离家老大回”这一首诗了。

乙十一·杜牧之

【原诗】　人生未老莫还乡，垂老还乡更断肠。

试问共谁争岁月，儿童笑指鬓如霜。

【原注】　“未老莫还乡，还乡须断肠”，韦庄词句也。牧之归家诗云：“共谁争岁月，嬴得鬓边丝。”

【笺释】　本首题为杜牧之（名牧，唐诗人），开头两句用的却是韦庄（字端己，五代词人）的词句。

韦庄《菩萨蛮》词的全文是：“人人尽说江南好，游人只合江南老。春水碧于天，画船听雨眠。// 垆边人似月，皓腕凝霜雪。未老莫还乡，还乡须断肠。”周作人做诗时，为了协律，将“还乡须断肠”写作“还乡更断肠”，自无不可。一九六六年写本原注引文仍这样写，则似乎有点不大合适。

王国维《浣花词跋》：“端已词情深语秀，虽规模不及后主、正中，要在飞卿之上。”叶嘉莹《论词绝句》：“谁家陌上堪相许，从嫁甘拼一世休。终古挚情能似此，楚骚九死谊相侔。”亦言韦词之深挚于情。在这一点上，杜牧和他是相同的。

杜牧《归家》诗：“稚子牵衣问，归来何太迟。共谁争岁月，嬴得鬓边丝。”“鬓边丝”原注写作“鬓如丝”，亦似不妥；诗句中作“鬓如霜”，则是周氏的再创作了。

杜牧这首诗写出了倦游归来的感伤，但是诗的基调仍然是潇洒的，这原是他的本色。《太平广记》卷二七三《杜牧》：“牛僧孺出镇扬州，辟节度掌书记。牧供职之外，唯以宴游为事。扬州，胜地也，每重城向夕，倡楼之上，常有绛纱灯万数，辉罗耀列空中，九里三十步街中，珠翠填咽，邈若仙境。牧常出没驰逐其间，无虚夕。复有卒三十人，易服随后，潜护之，僧孺之密教也……（后僧孺戒牧，牧谬言掩饰）僧孺笑而不答，即命侍儿取一小书簏，对牧发之，乃街卒之密报也，凡数十百，悉曰：'某夕，杜书记过某家，无恙。''某夕，宴某家，亦如之。'"

但杜牧还有他的另一面，周作人似乎更为欣赏。《苦竹杂记·杜牧之句》述"忍过事堪喜"句收入《官箴》事云："我们心目中的小杜仿佛是一位风流才子，是一个堂璜（Don Juan），该是无忧无虑地过了一世的吧……虽然有时候也难免有不如意事，如传闻的那首诗云：'自恨寻芳去较迟，不须惆怅怨芳时；如今风摆花狼藉，绿叶成阴子满枝。'但是，这次是失意，也还是风流，老实说，诗却并不佳。他什么时候又怎么地忍过，而且还留下这样的一句诗可以收入《官箴》里去的呢？这个我不能知道，也不知道他的忍是那一家派的，可是这句诗我却以为是好的……我不是尊奉它作格言，我是赏识它的境界。"

本首虽着重在描写垂老中年人的落寞，却都是从"稚子牵衣""儿童笑指"中表现出来的，故仍不失为以儿童为本位的一首儿童诗。

乙十二·陆放翁

【原诗】　阿哥写字如曲蟺，阿弟说话像黄莺。
　　　　　伢儿娇小嗔不得，涴壁同时复画窗。

【原注】　莺，越中俗语读如盎，平声。杭州人称小儿曰“伢儿”，读如芽，浙中他处无此语，或是临安俗语之留遗耶。放翁《喜小儿辈到行在》诗云：“阿纲学书如蚓曲，阿绘学语莺啭木。画窗涴壁谁忍嗔，啼呼也复可怜人。”

【笺释】　陆放翁，名游。他以爱国诗人著名，“阿纲学书”一首却全写他对小儿的宽容和理解，最为难得。

《立春以前·关于教子法》引述俞正燮《癸巳存稿》介绍了不少陆放翁爱子教子的诗篇并加以评论：“放翁《寒夜》诗云：稚子忍寒守蠹简，老夫忘睡画炉灰。《新凉夜坐有作》云：砚屏突兀蓬婆雪，书几青荧莲勺灯；稚子可怜贪夜课，语渠循旧未须增。《冬夜读书示子遹》云：简断篇残字欲无，吾儿不负乃翁书。《喜小儿辈到行在》诗云：阿纲学书蚓满幅，阿绘学语莺啭木，画窗涴壁谁忍嗔，啼呼也复可怜人。其教子之主于宽也如此……《闲居》诗云：春寒催唤客尝酒，夜永卧听儿读书。《白发》诗云：自怜未废诗书业，父子蓬窗共一灯。……《忍穷》诗云：尚馀书两屋，手校付吾儿。《即事》诗云：诗成赏音绝，自向小儿夸。家庭文章之乐，非迂刻者所能晓也……《南门散策》诗云：野蔓不知名，丹实何累累；村童摘不诃，吾亦爱吾儿。……意思深长，君子人言也。”

俞正燮（理初）关于妇女与儿童的见解，周作人一直十分赞赏，给了很高的评价。俞氏对陆放翁这些诗极致欣赏的地方，首在其体现了“吾亦爱吾儿”的人情，因为“教子之主于宽也如此”，所以才能多得“家庭文章之乐”，这在古代“迂刻”的传统家庭中原本来是极少能够见到的。

传统的儿童教育都主张严厉，家庭中说“严父慈母”，学堂中说“教不严师之惰”，认为父师之道就是要严。

陆放翁和俞理初却能反其道而行之。《立春以前·关于教子法》引俞氏《严父母义》云：“（汉儒）误以古言严父为父自严恶，不知古人言严，皆谓敬之，《易》与《孝经》皆然。《学记》云：‘严师为难，师严而后道尊。’亦言弟子敬之。《书》记舜言：‘敬敷五教在宽。’……《中庸》记孔子言：‘宽柔以教，为君子之强。’岂有违圣悖经以严酷为师者？知严师之义，则严父母之义明，而孝慈之道益明矣。”

周作人因谓：“俞君此文素所佩服，如借用顾亭林的话，真可以说是有益于天下的文章。上边谈陆放翁的随笔以诗句为资料，作具体的叙述，这篇乃以经义的形式作理论的说明，父师之道得明，不至再为汉儒以来之曲说所蔽矣。”

周文再次对陆放翁教儿童主张宽厚不主张严苛加以肯定，又特别举出冯班《钝吟杂录》里的几句话：“……师太严，子弟多不令，柔弱者必愚，刚强者怼而为恶，鞭扑叱咄之下使人不生好念也。”

如此看来，“写字如曲蟺，说话像黄莺”，自不必苛责了。

乙十三·姜白石

【原诗】 纵赏元宵逐队行，白头居士趁闲身。

怜他小女乘肩看，双髻丫叉剧可人。

【原注】 白石《观灯》词云：“白头居士无呵殿，只有乘肩小女随。”

【笺释】 姜白石名夔，南宋词人。

王国维《人间词话》：“古今词人格调之高，无如白石。”在“纵赏元宵”时能“怜他小女乘肩”，说明白石比较关心儿童生活；若是能让自家小女“乘肩”同往纵赏，则更为难得矣。其《鹧鸪天·正月十一日观灯》的全文是：

> 巷陌风光纵赏时，笼纱未出马先嘶。白头居士无呵殿，只有乘肩小女随。花满市，月侵衣，少年情事老来悲。沙河塘上春寒浅，看了游人缓缓归。

这词中提到的“乘肩小女”，到底是怎么一回事呢？

《武林旧事·元夕》：“都城自旧岁孟冬驾回，已有乘肩小女鼓吹舞绾者数十队，以供贵邸豪家幕次之玩。”这乘肩小女，是列队表演，供人赏玩的。白石并非贵邸豪家，她们似不会为他所专有，而只能供他和众人一起“纵赏”。

《山谷内集》卷六《陈留市隐诗序》，记陈留某刀镊工，唯有一女七岁，醉饱则簪花吹笛，肩女而归，诗云“乘肩娇小女，邂逅此生同”。则写市井畸人爱怜己女，性情流露，自然可喜，和白石词意比较接近。但沙河塘为临安游冶之地，苏东坡词：

“沙河塘里灯初上，水调谁家唱。”刘辰翁词：“还转盼，沙河多丽。”黄升词：“沙河塘上，落日绣帘争卷。”皆写此处妓乐之盛。白石道人纵通脱，携带自己的女儿到这种热闹地方去的可能性恐不会大。

张岱《陶庵梦忆·世美堂灯》：“儿时跨苍头颈，犹及见王新建灯。”跨颈亦即是乘肩。陶庵多记少小时弟兄游乐，却不见有小姊妹一道外出。可见如插图所绘，让小女孩跨在仆妇颈上出游的事亦难得有。

胡云翼《宋词选》注云：“这里也可能是把乘肩小女的歌舞队代替呵殿来自我解嘲。”虽属推测，或近事实。

白石是个布衣，一生诗酒风流。夏承焘《白石怀人词考》：“白石自定歌曲六卷，共六十六首，而有本事之情词乃得十七八首，若兼其托兴梅柳之作计之，则几占全部歌曲三分之一，此两宋词家所罕见。”这方面白石确实也在追慕小杜，他的代表作《扬州慢》下阕全用牧之事，《鹧鸪天·十六夜出》云：“东风历历红楼下，谁识三生杜牧之。”而“小红低唱我吹箫”的情事，也跟“楚腰纤细掌中轻”一样，沙河塘上正是合适的背景。《武林旧事》引白石诗亦云：“沙河云合无行处，惆怅来游路已迷。”他在沙河塘上的心情，恐亦是自恨寻芳去较迟，不过周作人乐见人情剧怜小儿女，把他想象成为“陈留市隐”一流人物了。

乙十四·辛稼轩

【原诗】 幼安豪气倾侪辈，却有闲情念小童。

应是贪馋有同意，溪头呆看剥莲蓬。

【原注】 稼轩词云：“大儿锄豆溪东，中儿正织鸡笼，最喜小儿无赖，溪头看剥莲蓬。”

【笺释】 辛稼轩，名弃疾，南宋词人。他这首词的词牌为《清平乐》，原注抄了下片四句，上片四句是：“茅檐低小，溪上青青草。醉里吴音相媚好，白发谁家翁媪。”写的乃是下片的背景，大儿中儿小儿应该就是白发翁媪家的了。

王士禛《花草蒙语》论词谓“豪放唯幼安为首”。周作人其实并不喜欢豪放派的诗词，之取此阕，只因写及小儿，本来中国历代诗词中以儿童为题材的就特别稀少也。

《秉烛谈·江都二色》介绍日本一册介绍玩具的书，从而慨叹中国描写儿童游戏作品的缺乏，说：“小儿的游戏并非玩物丧志，听童话也并不会就变成痴子到老去找猫狗说话，只可惜中国人太是讲道统正宗，只管叉手谈道学做制艺，升官发财蓄妾，此外什么都不看在眼里，著述充屋栋，却使我们隔教人失望，想找寻一点资料都不容易得。讲到儿童事情的文章，整篇的我只见过赵与时著《宾退录》卷六所记唐路德延的《孩儿诗》五十韵，里边有些描写得颇好。”这首诗他曾多次提及，别处也难见到，兹全录于次，可与辛词参看：

情态任天然，桃红两颊鲜。乍行人共看，初语客多怜。

臂膊肥如瓠，肌肤软胜绵。长头才覆额，分角渐垂肩。
散诞无尘虑，逍遥占地仙。排衙朱阁上，喝道画堂前。
合调歌杨柳，齐声踏采莲。走堤冲细雨，奔巷趁轻烟。
嫩竹乘为马，新蒲掉作鞭。莺雏金镟系，猧子彩丝牵。
拥鹤归晴岛，驱鹅入暖泉。杨花争弄雪，榆叶共收钱。
锡镜当胸挂，银珠对耳悬。头依苍鹘裹，袖学柘枝揎。
酒殢丹砂暖，茶催小玉煎。频邀筹箸插，时乞绣针穿。
宝箧拏红豆，妆奁拾翠钿。短袍披案褥，尖帽戴靴毡。
展画趋三圣，开屏笑七贤。贮怀青杏小，垂额绿荷圆。
惊滴沾罗泪，娇流污锦涎。倦书饶娅姹，憎药巧迁延。
弄帐鸾绡映，藏衾凤绮缠。指敲迎使鼓，筋拨赛神弦。
帘拂鱼钩动，筝推雁柱偏。棋图添路画，笛管欠声镌。
恼客初酣睡，惊僧半入禅。寻蛛穷屋瓦，探雀遍楼椽。
抛果忙开口，藏钩乱出拳。夜分围榾柮，朝聚打秋千。
折竹装泥燕，添丝放纸鸢。互夸轮水碓，相教放风旋。
旗小裁红绢，书幽截碧笺。远铺张鸽网，低控射蝇弦。
吉语时时道，谣歌处处传。匿窗肩乍曲，遮路臂相连。
斗草当春径，争球出晚田。柳旁慵独坐，花底困横眠。
等鹊潜篱畔，听蛩伏砌边。傍枝拈舞蝶，隈树捉鸣蝉。
平岛夸跻上，层崖逞捷缘。嫩苔车迹小，深雪履痕全。
竞指云生岫，齐呼月上天。蚁窠寻径斸，蜂穴绕阶填。
樵唱回深岭，牛歌下远川。垒柴为屋木，和土作盘筵。
险砌高台石，危跳峻塔砖。忽升邻舍树，偷上后池船。
项橐称师日，甘罗作相年。明时方在德，戒尔减狂颠。

乙十五·王季重

【原诗】　买得泥人买纸鸡，兰陵面具手亲持。
谑庵毕竟多情味，多买刀枪哄小儿。

【原注】　季重《游慧锡两山记》云："买泥人，买纸鸡，买兰陵面具，买小刀戟，以贻儿辈。"

【笺释】　王季重，名思任，号谑庵，山阴（绍兴）人，明末新文学的代表人物之一，是周作人很佩服的乡先辈。

《往昔三十首·王思任》：

往昔读文饭，吾爱王谑庵。姚江一雷震，文苑起聋喑。
温陵实滥觞，发难自公安。由熟而返生，继之以锺谭。
山阴集大成，笔舌翻波澜。略迹论风神，颇似苏子瞻。
嬉笑兼怪僻，馀人未易谙。或解啖橄榄，滋味自醰醰。
向往不能至，攀援聊自宽。后有张宗子，越风良可观。

诗中姚江指王守仁，温陵指李卓吾，公安指袁宏道兄弟，锺谭指锺惺谭友夏，山阴即王思任也。

谑庵《文饭小品·游慧锡两山记》："越人自北归，望见锡山，如见眷属。其飞青天半，久暍而得浆也。然地下之浆，又慧泉首妙。居人皆蒋姓，市泉酒独佳，有妇折阅，意闲态远，予乐过之。买泥人，买纸鸡，买木虎，买兰陵面具，买小刀戟，以贻儿辈。"

《书房一角·玩具》认为，写小儿玩具可以和王季重文章相提并论的，还有一部《扬州画舫录》，其卷十六云："山堂无市鬻之舍，以布帐竹棚为市庐，日晨为市，日夕而归，所鬻皆小儿嬉戏之物。未开新河时，皆集莲花埂上，故孙殿云诗有'莲花埂上桥畔寺，泥车瓦狗徒儿嬉'之句。自开新河后，此辈遂移于此，故《梦香词》有云：'扬州好，画舫到山堂。屈膝窗儿粘翡翠，折腰盘子钉鸳鸯，花月总生香。'樊文卿《津门小令》之七十八云：'津门好，儿戏笑声哗。碎剪羊皮糊老虎，细穿马尾叫虾蟆，竹马纸乌纱。'"

《书房一角》文接着还介绍了书中别的内容，最后道："中国文人学者向来轻视儿童，故歌咏记叙玩具的文章甚少，得见一二节，虽甚简单，亦正可喜也。"

张宗子《有明越人三不朽图赞》："王遂东思任，山阴人。少年狂放，以谑浪忤人，官不显达，三仕令尹，乃遭三黜。所携宦橐游囊，分之弟侄姊妹……赞曰：拾芥功名，生花彩笔。以文为饭，以弈为律。谑不避虐，钱不讳癖。传世小题，幼不可及。宦橐游囊，分之弟侄。孝友文章，当今第一。"

《谈龙集·地方与文艺》："浙江的文人，略早一点如徐文长，随后有王季重、张宗子，都是做那飘逸一派的诗文的人物；王、张的短文承了语录的流，由学术转到文艺里去，要是不被间断，可以造成近体散文的开始了。"

丰子恺插图画出"兰陵面具手亲持"，也把"哄小儿"的氛围画活了。

乙十六·清顺治帝

【原诗】　挣得清华六品官，居然学士出寒门。
胡雏亦自知风趣，画出骑驴傅状元。

【原注】　顺治幼年即位，为聊城傅以渐画《状元归去驴如飞图》。

【笺释】　清顺治帝，姓爱新觉罗，名福临，六岁登基，二十三岁卒，庙号世祖章皇帝。周作人仍认其为一异族少年，故称“胡雏”。

傅以渐，山东聊城（清属东昌府）人，顺治三年状元，授翰林院修撰，后官至大学士（相国）。翰林院修撰为是专为状元设的从六品官，最称清贵，故谓“清华六品官”。

昭梿《啸亭杂录》：“章皇帝勤政之暇尤善绘事，曾赐宋商邱冢宰《牧牛图》，笔意生动……王文简公士禛曾纪以诗云。”

彭孙贻《客舍偶闻》：“世祖幸阁中，中书盛际斯趋而过，世祖呼使前跪，熟视之，取笔画一际斯像，面如钱大，须眉毕肖。”可见顺治不仅会画，还能当面写真。

记载顺治画傅氏骑驴的，有张祥河《关陇舆中偶忆编》：“相国尝扈随圣驾，骑蹇驴归行帐。上在高处眺望，摹写其形状，戏题云‘状元归去驴如飞’，画幅仅二尺许，设色古茂。余道出东昌，登傅氏御画楼，其裔孙傅秋坪前辈出赐件获观。”

光绪年间还有陈代卿作《御画恭纪》云：“丙申夏四月，东昌府学博王君少炜，邀余至相府街傅宅，恭阅世祖章皇帝御画……一绢本青绿，大树下一人面如冠玉，微须，若四十许人，跨黑卫，二奴夹持，一执鞭拥驴项而驰，一回顾若有所语，骑者以手扶其肩，即开国殿撰傅相国以渐也，神采如生，尤为妙品。上书唐人七绝，末‘状元归去马如飞’，‘马’易作‘驴’，盖世祖戏笔也。”

唐人七绝末句“状元归去马如飞”的我没读过，只知道有苏轼《送蜀人张师厚赴殿试二首》之二：“云龙山下试春衣，放鹤亭前送落晖。一色杏花三十里，新郎君去马如飞。”还有一首明代工匠铸造在铜镜背面的诗，据实物照片记录如下：“云龙山下世宜春，放鹤亭前总乐辉。一色杏花红十里，状元归去马如飞。”

光绪八年成书的《越谚》卷上有《数目顺逆讴歌》：“一事无成实可怜，两眼睁睁看老天，三餐茶饭全无有，四季衣衫不周全，五更想起双泪流，六亲无靠苦如连，开门七件全无有，八字生来颠倒颠，久事寒窗无出息(久九谐音)，要到十字桥头寻短见；路里碰见一个算命先生，算我十九岁功名就，八月科场面前存，七篇文字如锦绣，六个同窗倒颠中，五伦殿上朝天子，四拜王廷万岁恩，君王连饮三杯酒，两朵金花盖顶匀，一色杏花红十里，状元归去马如飞。”

“状元归去马如飞”由文人诗句搬上了工艺制品(少不了出现错讹)，又演变成民间俗谚，充分表现出国民歆羡金榜题名的心理。“马如飞”改“驴如飞”，一字之差，歆羡便变成了调侃，此“胡雏”真能“知风趣”也。

乙十七·翟晴江

【原诗】 不攻异端卫圣道，但嫌光顶着香疤。

手携三尺齐眉棍，赶打游僧秃脑瓜。

【原注】 梁山舟作晴江传云，童子时读书塾中，有僧过其门，乃率众持棓追击。其父见而挞之，答曰："吾恶其秃也。"

【笺释】 翟晴江名灏，清乾隆时仁和(今杭州)人，出身商贾而酷嗜读书，成进士后亦不乐仕进，做教官以著述终老。此人自不无可取，但其儿时"赶打游僧秃脑瓜"的故事，亦类似鲁迅周作人兄弟做小学生时聚众去打武秀才，无论怎么说，总是小孩子在乱来胡闹，不必提倡鼓励的。

梁同书《频罗庵遗集》卷九有《翟晴江先生传》，说翟氏少时"昼则与贾人子伍操奇赢，握筹算，凡尺度淳制质剂之属，悉经理焉。入夜，闭一室，一灯荧然，读书不辍，漏四下始寝，或竟夜不寝……名列三甲中，例选知县，先生曰：'非吾所能胜也。吾木强，不能取悦上官，即不以墨败，终当以不称职罢矣。'投牒铨部，改就教职……生平无他嗜好，一意于书，自经史外，苟可资多识者靡不览……下至街谈巷说，亦必考所由来……所著《四书考异》《尔雅补郭》《湖山便览》《草塘辨利院志》《通俗编》《无不宜斋诗稿》，已板行于世。"

传文最后论曰："吾郡城东北门曰艮山，居艮山门之外，同时以博通称者有两人焉，一为先生，一则西林吴先生。吴先生不应举子业，唯古是耽，所著《吹豳录》《说文理董》，读古之士知好之，特不若先生撰述之勤且富耳。吴先生奉释氏教，于内典尤精。而先生则不信西方圣人之说，尝自言童子时读书塾中，有僧过其门，适塾师外出，率众童子持棓往击僧，僧跄踉走避。封公见而挞之，先生曰，吾恶其秃也。故虽甚好书，卒不喜瞿昙氏之书，其不同如此。呜呼！此可以观先生矣。”

这便是“赶打游僧秃脑瓜”故事的来历了。

《书房一角·秃头》引述此事后云：“梁君文固有风趣，而其事亦正妙，可知翟晴江是解人也。佛本不必排，自来道学家只自心虚耳，其稍可恶者就是那秃头，鄙人昔曾有此意，不图翟氏已先我发之矣。鄙人最不喜一切残毁，落叶枯株固尚不妨，断瓦残垣则只在诗画中差可观，若是人物便不能如是，即病理与变态，但可哀矜，亦不乐见也……若身中面白而视之仍索然无味，此乃别一事，当分论之。和尚之秃，在今日已为普通，本可不忌，但用刀刮光，又有受戒香疤数行，如玉蜀黍痕迹，视之殊不舒服。又或将头发分开作俗装，则大可以棓击之，盖是破戒僧，击毕当勒令还俗也。”

周作人在这里的态度，似乎也不够宽容，有点太过分了。

“最不喜一切残毁”没什么错，至少也是你个人的自由，别人既无法亦不应该强迫你去喜欢“病理与变态”。但别人也有别人的自由，即使他的香疤“如玉蜀黍痕迹，视之殊不舒服”，你也不应该更没有权力“以棓击之”呀！

看来，“师爷气”竟是种地方病，即二先生亦难免也。

乙十八·高南阜

【原诗】 胶东名宿高南阜，文采风流自有真。

写得小娃诗十首，左家情趣有传人。

【原注】 诗见集中，有咏女儿嬉戏，如猫蹄儿、请姑姑各题。

【笺释】 高南阜名凤翰，字西园，胶州人，因右臂病废，以左手作字、绘画、治印、琢砚皆工妙，为扬州八怪之一。

诗中第三句说他“写得小娃诗十首”，实际上乃是八首，即《儿童诗效徐文长体》四首和《小娃诗再效前体》四首。

《书房一角·读南阜山人诗集》：“南阜山人洵是妙人，出诗集七卷。读之，虽有可喜处，惜实不解诗，总无可说。不佞最善傅青主，可谓真雅，若南阜者当在次位。诗集卷二中有《儿童诗》《小娃诗》各四首，此类文字非俗士所能下笔也。”

《南阜山人诗集类稿》卷二《儿童诗效徐文长体》序云：“在南州五六月，客况无聊中，时与斋中小童嬉戏作儿曹事，抚掌一笑，少破岑寂。一日余方属思苦吟，童子笑谓阿痴日日作诗，能以吾曹嬉戏事为韵语，且令吾曹人人可解乎？余唯唯，援笔成四绝句，才一朗吟，而童子辈已哗然竞笑矣。”诗四首如下：

闲扑黄蜂绕野篱，尽横小扇觅蛛丝。阶前拾得青青竹，偷向花阴缚马骑。

半拽长襟作猎衣，丝牵纸鹞扑天飞。春风栏外斜阳里，搅碎桃花学打围。

窗前小凤影青青，几日春雷始放翎。五尺长梢生折去，绿杨风里扑蜻蜓。

南风五月藕荷香，踏藕穿荷闹一塘。红裤绿衫都湿尽，又藏花帽罩鸳鸯。

又《小娃诗再效前体》四首如下：

画廊东畔绿窗西，斗草寻花又捉迷。袖里偷来慈母线，一钩小袜刺猫蹄㊀。

安排杓柄强枝梧，略着衣裳束一躯。花草堆盘学供养，横拖绿袖拜姑姑㊁。

高高风信放鸢天，阿弟春郊恰放还。偷去长丝缚小板，牵人花底看秋千。

姊妹南园戏不归，喁喁小语坐花围。平分一段芭蕉叶，剪碎春云学制衣。

㊀作袜不半寸许，着猫足为戏，谓之“猫蹄儿”。㊁以杓柄作刍偶乞灵，谓之请姑姑。

《秉烛后谈·儿童诗》：“这几首诗的好坏是别一问题，总之是很难得的。古人虽有‘闲看儿童捉柳花’‘稚子敲针作钓钩’等单句，整篇的在《宾退录》卷六记有路德延《孩儿诗五十韵》，其次我想该算这七绝八首了吧。”

原诗第四句“左家情趣有传人”，是说高南阜的“小娃诗十首”（实际上是“这七绝八首”）算得上是左思《娇女诗》的继承者。左诗见《乙编附记》笺释，此处不录。

乙十九·郑板桥

【原诗】　门前排坐喜新晴，待泥家人说古今。
独爱锄禾日当午，手分炒豆教歌吟。

【原注】　板桥家书，以锄禾日当午二诗，教小儿于排坐吃炒豆时唱之。

【笺释】　郑燮字克柔，号板桥，扬州兴化人，为康熙秀才、雍正举人，乾隆进士，诗、书、画均佳，人比之为“郑虔三绝”。本首写他在家书中抄短诗教小儿读唱，此确是一种很好的方法，即在今日亦可以照办。

《板桥集》中有“与舍弟书十六通”，其中的“潍县寄舍弟墨第三书”便是谈“教小儿唱诗歌”的，节抄如下：

“富贵人家延师傅教子弟，至勤至切，而立学有成者，多出于附从贫贱之家，而己之子弟不与焉。不数年间，变富贵为贫贱：有寄人门下者，有饿殍乞丐者；或仅守厥家，不失温饱，而目不识丁。或百中之一亦有发达者，其为文章，必不能沉着痛快，刻骨镂心，为世所传诵。岂非富贵足以愚人，而贫贱足以立志而浚慧乎？我虽微官，吾儿便是富贵子弟，其成其败，吾已置之不论，但得附从佳子弟有成，亦吾所大愿也。至于延师傅，待同学，不可不慎。吾儿六岁，年最小，其同学长者当称为某先生，次亦称为某兄，不得直呼其名。纸笔墨砚，吾家所有，宜不时散给诸众同学。每见贫家之子，寡妇之儿，求十数钱买川连纸钉仿字簿而十日不得者，当察其故，而无意中与之。至阴雨不能即归，辄留饭，薄暮，以旧鞋与穿而去。彼父母之爱子，虽无佳好衣服，必制新鞋袜来上学堂，一遭泥泞，复制为难矣。”

信后又附片云：“又有五言绝句四首，小儿顺口好读，令吾儿且读且唱，月下坐门槛上，唱与二太太、两母亲、叔叔、婶娘听，便好骗果子吃也。”诗云：

二月卖新丝，五月粜新谷，医得眼前疮，剜却心头肉。
耘苗日正午，汗滴禾下土，谁知盘中餐，粒粒皆辛苦。
昨日入城市，归来泪满巾，遍身罗绮者，不是养蚕人。
九九八十一，穷汉受罪毕，才得放脚眠，蚊虫獦蚤出。

明明是五言绝句四首，原注却只说以二诗教小儿唱之，“锄禾日当午”也写成“耘苗日正午”了。郑板桥只有一个儿子，“月下坐门槛上”唱与太太母亲们听自无问题，“排坐”却也是没法排的。

《与舍弟墨第二书》中还有一节也很有意思：

“家人儿女，总是天地间一般人，当一般爱惜，不可使吾儿凌虐他。凡鱼飧果饼，宜均分散给，大家欢嬉跳跃。若吾儿坐食好物，令家人子远立而望，不得一沾唇齿，其父母见而怜之，无可如何，呼之使去，岂非割心剜肉乎。夫读书中举中进士作官，此是小事，第一要明理作个好人也。”

“待泥家人说古今”句中“泥”字读如腻(nì)，意谓柔言索要，即“软磨硬要”之“软磨”。

乙二十·陈授衣

【原诗】　绝爱诗人陈授衣，善言抛墒折花枝。
泥婴面具寻常见，喜诵田家杂兴诗。

【原注】　陈授衣诗见《韩江雅集》中。“带得泥婴面具回”，闵廉风句，亦是集中《田家杂兴》诗之一。

【笺释】　陈授衣，名章，号竹町，杭州人，幼业香蜡，长赘于扬州，年三十，闻竹韵学诗，骎骎大成，有《孟晋斋集》。

李斗《扬州画舫录》记“韩江雅集”中人共三十九，有授衣兄弟及厉鹗、全祖望、杭世骏、闵华等。闵华即“带得泥婴面具回”的作者闵廉风，江都(扬州)人，有《澄秋阁诗集》。

潘清撰《挹翠亭诗话》：“《韩江雅集》全谢山为序，《田家杂兴》题，陈授衣云：‘儿童下学恼比邻，抛墒池塘日几巡，折得花枝当旗纛，又来呵殿学官人。’闵廉风云：‘驴背田翁傍晚回，绕身儿女笑轰雷，城中完纳官租了，带得泥婴面具来。’数诗描写难言之景，可谓体贴入微。”

《韩江雅集》是乾隆时在扬州“让圃”(原天宁寺西院，时为张陆二家别墅)举行的诗社刊行的一部诗集。在此需要说明一点，此韩江即邗江，是扬州的古称，并不是广东潮州的韩江。

《书房一角·陈授衣诗》：“寒斋适有陈氏《孟晋斋诗集》，乃取出翻检两过，尽二十四卷中不见‘儿童下学’之诗，殆未收入集中也，但别又找到几首，说及儿童生活，亦均可喜。卷十二《苦雨》云：‘水田高下没青秧，一月无多见太阳。儿女不知调燮事，绿窗苦怨扫晴娘。’《清明》二首之一云：‘燕子低飞掠草烟，城隅绿浪系红船。溪童三五趁朝雨，偷折柳枝来卖钱。’卷二十《上巳偶书》云：‘清明杨柳重三茅，采折儿童竞卖钱。可惜一离烟渚畔，竟随葱薤市门前。’此种景象其实并不怎么难写，只是平常诗人看不上眼，不肯收拾来作诗料，故极少见耳。诸诗中仍以‘下学’一绝最有意思，因其主意即咏儿嬉，与他诗偶用作材料者不同。”

所谓“儿嬉”，用口语说便是儿童的游戏。

周作人认为最有意思的“抛堶池塘日几巡”这首诗写到的“抛堶”，堶音堕。《玉篇》：“堶，飞砖也。”杨慎《俗言》：“抛堶，儿童飞瓦石之戏。”《扬州画舫录》：“里人于清明时……掷瓦砾于翁仲帽上，以卜幸获，谓之飞堶。”我小时以瓦片削水面称“打漂漂”，立砖于地以断砖遥掷称“打碑”，也都是这种儿嬉即小孩的游戏。

《抛堶》这幅插图，我看也是画得最好的，因其主意即画儿嬉，不是古诗今画，也不是图写故事。乙十八捉迷藏那幅也是一样，不过往公园水面投掷瓦石早被禁止，适于“打漂漂”的小青瓦片亦已绝迹，所以更加难得。儿童游戏是民众生活的一部分，最能反映当时当地人的笑貌风情，记录社会风俗亦即活的文化的流转变迁，诗人和画家却多半仍然看不上眼，《抛堶》这样的图画如今已很难见到了，丰氏原作亦不知尚在人间否，思之惘然。

乙二一・俞理初

【原诗】　最喜龟堂自教儿，本来严父止于慈。
高风传述多天趣，正是人间好父师。

【原注】　俞理初著有《陆放翁教子法》《严父母义》诸文，收在《癸巳存稿》中。戴醇士记其言行，见于《习苦斋笔记》。

【笺释】　龟堂为陆放翁别号，诗却是写俞理初（正燮）的。

"乙十二"写陆放翁那一首的笺释中便谈到过俞理初，他乃是周作人最佩服的古人之一。《药堂杂文·读初潭集》云："中国思想界有三贤，即是汉王充，明李贽，清俞正燮。"《往昔三十首》一之四："往昔读论衡，吾爱王仲任……明清有李俞，学海之三灯。唯此星星火，照破千古冥。"评价极高。

戴醇士《习苦斋笔记·俞正燮》："理初先生，黟县人，予识于京师，年六十矣。口所谈者皆游戏语，遇于道则行无所适，东南西北无可无不可。至人家，谈数语，辄睡于客座。问古今事，诡言不知，或晚间酒后，则原原本本，无一字遗。予所识博雅者无出其右。"李慈铭《越缦堂日记补》咸丰十一年六月廿日记："阅黟县俞理初孝廉正燮《癸巳类稿》，皆经史之学……新安经学最盛，能兼通史学者惟凌次仲及俞君。"

中国家庭伦理讲"严父慈母"，通常便以为父职要严，而严便是严厉，甚至是严恶。俞理初却从陆游的大量诗句中，看出了"其教子之主于宽也如此"（详见乙十二笺释）。俞氏《癸巳存稿·严父母义》云："慈者，父母之道也。《大学》云：为人父，止于慈。《礼运》云：父慈子孝，谓之人义。父子笃，家之肥也……《孝经》云：孝莫大如严父，严父莫大于配天。又云：以养父母日严。又云：祭则致其严。——皆谓子严其父母也。《表记》云：母亲而不尊，父尊而不亲。此汉儒失言，于母则违'严君父母'及'养父母日严'之训，于父则违慈孝之谊，由误以古言严父为父自严恶，不知古人言严皆谓敬之，《易》与《孝经》皆然。"

《秉烛后谈·俞理初的诙谐》进一步评述俞理初的价值，称之为"伟大的常人"："盖常人者无特别希奇古怪的宗旨，只有普通的常识，即是向来所谓人情物理，寻常对于一切事物就只公平的看去，所见故较为平正真切，但因此亦遂与大多数的意思相左，有时也有反被称为怪人的可能，如汉孔文举、明李宏甫皆是，俞君正是幸而免耳……如平常的人，有常识与趣味，知道凡不合情理的事既非真实，亦不美善，不肯附和，或更辞而辟之，则更大有益世道人心矣，俞理初可以算是这样一个伟大的常人了"。

写本附有咏李卓吾一首，照录如下：

> 论人卓老有同志，说妒周婆多恕词。幸喜未逢张问达，不然断送老头皮。

注云："张问达即弹李卓吾之御史。案此诗不涉儿童事，因关联俞君，附录于此。"

"说妒周婆"的故事是：或劝女人勿妒，谓周礼如此。女问周礼何人所制，答云周公。女曰，若是周婆，定不如此。

乙二三一·王菉友

【原诗】　不教儿童嚼木札，故将文字示幺儿。
古今多少经生辈，惭愧乡宁学老师。

【原注】　菉友著有《教童子法》及《文字蒙求》，皆嘉孺子之事也。案王君为乡宁知县，此云"学老师"，误也，亦不复改作。

【笺释】　王菉友名筠，他做的官是知县，诗里却称之为"学老师"（清制府州县设学官，府称教授，州称学正，县称教谕，又有训导，通呼学老师），是为了趁韵而将错就错。

缪荃孙《续碑传集》卷七四《王筠传》："王筠字贯山，山东安丘人，道光元年举人，山西乡宁县知县，博涉经史，尤深《说文》之学……乡宁在万山中，民朴事简，讼至立判，暇则抱一编不去手。权徐沟，再权曲沃，地号繁剧，二县皆治，然亦未尝废学。著有《说文释例》二十卷……又著《说文句读》三十卷……《说文系传校录》《鄂宰四种》《蛾术编》《禹贡正字》《礼记读》《仪礼郑注句读刊误》《四书说略》。"

《书房一角·教童子法》："王菉友著《教童子法》一卷，附《四书说略》后，虽只十三纸，却颇有精彩语，即使未能上比古人，亦足与张香涛《辅轩语》竞爽矣。如云：'学生是人，不是猪狗。读书而不讲，是念藏经也，嚼木札也。'又云：'小儿无长精神，必须使有空闲。'均清楚爽利可喜。又谓作诗文必须放，放之如野马踶跳咆哮，不受羁绊，久之必自厌而收束矣。此则可通于文艺制作，尤有见识，非平常为父师者之所能知矣。”

同书《文字蒙求》：“《文字蒙求》四卷昔曾涉猎，今日又取阅，亦觉得多可喜处。所说根据《说文》，改变处却亦不少，且其著书目的全为儿童，与《鄂宰四种》中念念不忘后生初学相同，此意甚可感，亦实希有可贵。清朝乾嘉以后国学大师辈出，但其所经营者本是名山事业，殆无意为小学生预备入门梯阶，故至今《说文》仍为难读之书，所谓小学终非大人不能去翻看第一页也。王菉友于文字学想到童蒙求我，虽是草创之作，历整整百年，还须推独步，思之可尊重，亦令后人愧恧耳。”

周作人歌颂《教童子法》和《文字蒙求》这两本书，不是因为它们有多高的学术水平，只是为了它们肯为儿童着想，也就是“嘉孺子”。《药堂杂文·新文字蒙求》：“现代的学者太是小乘的了，平常在研究所埋头用功，苦心著书，本是很好的事，但其目的差不多就是写自己的博士论文……至多是得到阿罗汉果，还仍是个自了汉罢了。”

《立春以前·大乘的启蒙书》：“近代中国的学者之中，也曾有过这样的人，他们不但竭尽心力著成专书，预备藏之名山传之其人，还要分出好些工夫来，写启蒙用的入门书，例如《说文释例》等书的著者王筠著有《文字蒙求》《正字略》与《教童子法》……此皆是大乘菩萨之用心，至可佩服者也。”

这里说的“小乘”“大乘”，皆佛教用语。早期教徒注重个人修行，追求“自我解脱”。后来教徒主张“普渡众生”，自称“大乘”，称前者为“小乘”。

乙二三·凯乐而

【原诗】　绝世天真爱丽思，梦中境界太离奇。
红楼亦有聪明女，不见中原凯乐而。

【原注】　《爱丽思漫游奇境记》，英国凯乐而著，赵元任译。

【笺释】　凯乐而（Lewis Carroll，一八三二至一八九八），今译名卡罗尔，是牛津大学基督学院数学讲师C.L.道奇森的笔名。

一八六二年夏季某日，凯乐而带邻居的七岁小女孩爱丽思和她的姊妹去划船，在船上编故事讲给孩子们听，随后又应爱丽思的请求记录下来，无意中被作家金斯莱见到后力劝将其发表，这就是《爱丽思漫游奇境记》同其续篇《镜中世界》，很快就成了英国和全世界最受欢迎的童话之一，被公认为荒诞文学最高水平之作，早已被译成各种文字，在各国广泛出版。

凯乐而本是位教数学的教师，用本名发表过不少数学和逻辑学的著作，但他在《爱丽思漫游奇境记》和《镜中世界》这两种名著之外，还写有不少别的文学作品。他又是一个十分成功的摄影家，有不少摄影作品传世。

传统中国读书的格言是“有功家国书常读，无益身心事莫为”，过于看重实际功利，很少有让孩子们看了娱乐的书，甚至认为这会无益于孩子的身心。近代有了“童话”“儿童故事”这类读物，又总要往里面灌输各种各样的大道理，要求它一定要能够起到教育作用，认为孩子只该读“有意思”(能起到教育作用)的书。

周作人的观点却与此不同，他在《自己的园地·阿丽思漫游奇境记》一文中写道：

“近来看到一本很好的书，便是赵元任先生所译的《阿丽思漫游奇境记》。这是‘一部给小孩子看的书’，但正如金圣叹所说，又是一部‘绝世妙文’，就是大人——曾经做过小孩子的大人，也不可不看，看了必定使他得到一种快乐的……”

“这部书的特色，正如译者序里所说，是在于他的有意味的‘没有意思’。英国政治家辟忒(Pitt)曾说：‘你不要告诉我说一个人能够讲得有意思，各人都能够讲得有意思，但是他能够讲得没有意思么？’文学家特坤西(De Quincey)也说，只是有异常才能的人，才能写没有意思的作品……然而这‘没有意思’，决不是无意义，他这著作是实在有哲学的意义的。麦格那思在《十九世纪英国文学论》上说：‘利亚的没有意思的诗与加乐尔的阿丽思的冒险，都非常分明的表示超越主义观点的滑稽。他们似乎是说：你们到这世界里来住罢，在这里物质是一个消融的梦，现实是在幕后。阿丽思走到镜子的后面，于是进奇境去。在他们的图案上正经的分子都删去，矛盾的事情很使儿童喜悦’……”

“但就儿童本身上说，在他想象力发展的时期确有这种空想作品的需要，我们大人无论凭了什么神呀皇帝呀国家呀的神圣之名，都没有剥夺他们的这需要的权利，正如我们没有剥夺他们衣食的权利一样。”

乙二四·萨洛延

【原诗】　一卷空灵写意诗，人间喜剧剧堪悲。
街头冒险多忧乐，我爱童儿由利斯。

【原注】　《人间的喜剧》，美国萨洛延著，有柳无垢译本，不完全，可惜也。著者本是亚耳美尼亚人。

【笺释】　小说《人间喜剧》是美国作家萨洛延的代表作之一，出版于一九四三年。

萨洛延（William Saroyan，一九〇八至一九八一），今译名萨罗扬，父亲是亚美尼亚移民。他从十五岁起就离开学校，努力自学和写作。一九三九年其剧本《我的心在高原》获得极大成功，一九四〇年他拒绝接受颁发给他的另一剧本的普利策奖，理由是它"与我的任何其他作品相比毫无出色之处"。这件事情使他在文学界和整个社会上得到了更高的声誉。

《不列颠百科全书》说萨罗扬"因写有大量歌颂尽管贫穷、饥饿和缺乏保障，却不乏生活的乐趣的，大量活泼、独特和玩世不恭的短篇小说，而享有声誉……他着重描写一切人的善良天性及人生的价值，对方言运用自如，因此笔下人物栩栩如生。大部分故事取材于他童年的经历和家庭遭遇，这主要表现在故事集《我的名字叫阿拉姆》和小说《人间喜剧》中"。

《中国大百科全书》外国文学卷说："活着受穷胜过致富而死，这是萨罗扬早期作品中明显的思想。他描写人们，特别是天真的小人物善良的本性，强调人活着要有志气，要公正、纯洁，而不应过分注重物质利益。”

《人间喜剧》写一个普通的家庭，父亲早年逝世，留下三子一女。由利斯是小儿子，小小年纪便尝足了人间的辛酸，也感受到人间的温暖。这样一部好小说，当然应该有一个好的译本。先出的柳无垢译本，周作人觉得还不够好。

《亦报随笔·美国小说》批评柳无垢译本并不是全译，说它所译的“只有三分之二，而且把作者发挥他的理想的地方都给删掉了。萨罗扬虽是当过兵，但他是反战的，只是不好说明。他的祖国是亚耳美尼亚，历来受难，那里原始的基督教又有一种东方的神秘空气，所以他说‘他跟我们是一体’，又云‘世界的人是等于一个人’……这些话全都删去，大有买椟还珠的意味。而且又将有些很好玩的场面，例如荷马遇见从前养过兔的老人，由利斯跟了小孩们去偷杏子，也整个节省了，这真是很可惜的事”。

一九五〇年写本《儿童杂事诗》，原注在“柳无垢译本不完全，可惜也”之后，还加写了这样两行话：

“徐礼庭新译全本，曾见其原稿，更流畅可读，并可具见作者意旨，但未知其能出版否耳。”这个意思，事实上即是《美国小说》说的那些话的延伸。

光阴似箭，一眨眼六七十年过去，徐礼庭的新译全本是否出版了呢？也许早就已经印行，或者还出版了别的更好的译本，只怪我孤陋寡闻没有见到吧。

乙编附记

【原文】　大暑节后，中夜闻蛙声不寐，偶作“晋惠帝”一诗，后复就记忆所及，以文史中涉及小儿诸事为材，赓续损益，共得二十四章。左家《娇女》，珠玉在前，未敢弄拙，虽颇自幸，亦殊以为憾事也。七月二十一日。

儿童故事诗本应多趣味，今所作乃殊为枯燥，甚觉辜负此题。有些悲哀的故事，如孔文举二子、《水浒》之小衙内、和骨烂、因子巷等，常往来于胸中，而自觉无此笔力与勇力。故亦不敢漫然涉笔，殊不能自辨为幸为憾也。九月廿八日校录后再记。

【笺释】　“左家《娇女》，珠玉在前”，说的是晋左思作《娇女诗》，兹据《玉台新咏》本抄录如下：

吾家有娇女，皎皎颇白皙。小字为纨素，口齿自清历。
鬓发覆广额，双耳似连璧。明朝弄梳台，黛眉类扫迹。
浓朱衍丹唇，黄吻澜漫赤。娇语若连琐，忿速乃明愭。
握笔利彤管，篆刻未期益。执书爱绨素，诵习矜所获。
其姊字惠芳，面目灿如画。轻妆喜楼边，临镜忘纺绩。
举觯拟京兆，立的成复易。玩弄眉颊间，剧兼机杼役。
从容好赵舞，延袖像飞翮。上下弦柱际，文史辄卷襞。

顾眄屏风画，如见已指摘。丹青日尘暗，明义为隐赜。
驰骛翔园林，果下皆生摘。红葩掇紫蒂，萍实骤抵掷。
贪华风雨中，倏忽数百适。务蹑霜雪戏，重綦常累积。
并心注肴馔，端坐理盘槅。翰墨戢函按，相与数离逖。
动为垆钲屈，屣履任之适。止为荼菽据，吹嘘对鼎䥶。
脂腻漫白袖，烟熏染阿锡。衣被皆重地，难与沉水碧。
任其孺子意，羞受长者责。瞥闻当与杖，掩泪俱向壁。

“举掸拟京兆”句中“掸”原作“觯”。《说文》：“掸，木也，可为栉。”承河北沧州孙建先生指出，甚为感谢。

“悲哀的故事”列举的“孔文举二子”，见《后汉书·孔融传》：“(融)女年七岁，男年九岁……融被收而不动。左右曰，父执而不起，何也？答曰，安有巢毁而卵不破乎？主人有遗肉汁，男渴而饮之。女曰，今日之祸，岂得久活，何赖知肉味乎？兄号泣而止。或言于曹操，遂尽杀之。”

“小衙内”故事见《水浒传》第五十一回：那小衙内“年方四岁，生得端严美貌，乃是知府亲子”。为了迫使朱仝上山，梁山好汉李逵用板斧把他梳着双丫角的头劈成两半。

“和骨烂”则是南宋庄季裕《鸡肋编》中的记载，云靖康时“人肉之价贱于犬豕，肥壮者一枚不过十五钱，全躯曝以为脯。又登州范温率忠义之人泛海至钱塘，有持至行在充食者，老瘦男子谓之饶把火，妇女少艾者名之为不羡羊，小儿呼为和骨烂。”

“因子巷”见朱弁《曲洧旧闻》，记宋兵下南唐，屠城，有妇人被杀，其子尚就母尸求乳，“见之恻然”，始下令停刀。

丙编·儿童生活诗补

丙之一·八大锤

【原诗】　儿女英雄满壁排，摊头花纸费衡裁。
大橱美女多娇媚，不及横张八大锤。

【原注】　直幅美女图用以贴衣橱门扇上者，名大橱美女。八大锤画戏装武士数人持锤，大小式样不一，多系横幅，男孩每喜购之。

【笺释】　“花纸”(今通称为年画)共有三首，本首咏“大橱美女”及“八大锤”，今题作“八大锤”。

《八大锤》为京剧剧目名，演岳云、狄雷、严成芳、何元庆大战陆文龙事，四人俱使双锤，故名，出自《精忠说岳全传》第四十五回。

年画喜用热闹戏文作画面，尤其是从《八大锤》这类人物众多武打热闹的戏文，可说是纯粹的故事画，容易得到大众的欢迎。但摊头上更多的仍是寓意富贵吉祥多福多子的“喜庆画”，这本是平民心理需求的反映和民间工艺美术的特色，现在也仍然留存着痕迹。

《苦茶随笔·画廊集序》谈到“卖给平民妇孺们的年画摊”，说“日本的民间画师画妓女，画戏子，画市井风俗，也画山水景色，但绝无抽象或寓意画……姑苏画里却就有好些寓意画，如‘五子登科’‘得胜封侯’等，这与店号喜欢用吉利字样一样，可以说是中国人的一种脾气，也是文以载道的主义的表现吧。”

《画廊集序》接着道："在我们乡间，这种年画只叫作'花纸'，制作最好的是立幅的《大橱美女》，普通都贴在衣橱的门上，故有此称，有时画的颇有姿媚，虽然那菱角似的小脚看了讨厌，不过此是古已有之，连唐伯虎的画里也是如此了。但是那些故事画更有生气，如《八大锤》《黄鹤楼》等戏文……用的纸大约是上过矾的连史，颜色很是单纯，特别是那红色不知道是什么东西，涂在纸上少微发亮，又有点臭气，我们都称它作猪血，实在恐不尽然。现在的花纸怎么样了呢，我不知道，恐怕纸改用了洋纸，印也改用石印了吧，这是改善还是改恶，我也不很明白，但是我个人总还是喜欢那旧式的花纸的。"

文章说他对于画中的寓意全然不懂，"譬如松树枝上蹲着一只老活猻，枝下挂着一个大黄蜂窠，我也只当作活猻和黄蜂窠看罢了，看看并不觉得有什么好玩。自然，标榜风雅的艺术画在现今当为志士们所斥弃了，这个本来我也不懂得，然而民间画里那画以载道的画实在也难以佩服……我们即使能为妇孺画《老鼠嫁女》以至《八大锤》，若《挂印封侯》《时来福凑》这种厌胜画，如何画得好乎？"

"摊头花纸"说的是货摊上出售的花纸。而湖南隆回县亦有地名"滩头"，为传统手工木刻年画产地，本书卷首[图六]"楚南滩镇新刻老鼠取亲全本"，便是该地的出品。题名楚南不称湖南，时间当在湖南设省之前，这称呼起码也有三百年历史，远在周作人欣赏《大橱美女》和《八大锤》之前很久很久了。

丙之二・老鼠做亲

【原诗】　老鼠今朝也做亲，灯笼火把闹盈门。
新娘照例红衣裤，翘起胡须十许根。

【原注】　老鼠成亲花纸，仪仗舆从悉如人间世，有长柄宫灯一对，题字曰“无底洞”。

【笺释】　“花纸二”咏“老鼠做亲”，今即以此题之。

老鼠和人们在同一房屋中生活的历史，如果从人类开始定居时算起，实在是很长久了。它偷吃食粮，咬坏衣物，传播疾病，于人有害无益，人们当然不会喜欢它，但亦难以驱除，故有时亦只能以赘疣视之，被动地妥协。方濬师《蕉轩随录》卷六有“祀鼠、鼠嫁女”条，云：

“汉昭帝元凤元年九月，燕有黄鼠衔其尾舞于宫端门中，往视之，舞如故。王使夫人以酒脯祀鼠，舞不休。按：近俗每于除夕备酒果，置空室中饲鼠，谓可免鼠啮，盖有所本。又相传除夕为鼠嫁期，小儿女用馒头插通草花于上，散置僻处，谓之送嫁。某人曾有句云‘迨吉宛同人有礼，于归谁谓汝无家’，真妙绝也。”即上说之证明，也是老鼠做亲很早的记录。

《书房一角·记嫁鼠词》：“徐时栋《烟屿楼读书志》卷十六《清白居士集》第五条云：‘杭俗谓除夕鼠嫁女，窃履为轿。’《蜕稿》中有《嫁鼠词》，中有警语云，‘好合定知时在子，以履为车鼠子迓，鼠妇新来拜鼠姑，鼠姑却立拱而谢’，运用自然。”

鼠姑鼠妇都是现成的名词，鼠姑即牡丹花，鼠妇为一种可以入药的昆虫，见《本草纲目》。《嫁鼠词》将二者拟人化，一妇一姑，用在此处正是恰好，故清白居士称其“运用自然”。

《书房一角》的文章接下来又介绍道：“萧山寅半生编《天花乱坠》二集卷五，有王衍梅《鼠嫁词》，小引云：‘《虞城志》，正月十七夜民间禁灯，以便鼠嫁。’诗凡二十五韵，有云：‘颠当守门防客走，拱鼠前揖将进酒。小姑艳过鼠姑花，厨下先尝侬洗手。’与梁作近似。但我又喜其他四句云：‘啾啾唧唧数聘钱，香车飞架雕梁边，娇羞蟢镜一相照，不许灯花窥并肩。’此与以履为车纯是童话意境，在诗文中殊不易见到。鼠嫁女也是有趣的民间俗信，小时候曾见有花纸画此情景，很受小儿女的欢迎，不知道现今还有否也。”

老鼠嫁女，窃履为轿或为车，反正这轿或车是载这新嫁娘的，是花轿或花车，那么窃便得窃绣花女鞋。平时见到老鼠人人喊打，除夕或正月十七夜则特别留出时空“以便鼠嫁”，甚至还提供馒头灯草花，为此种“童话意境”的实现从旁出力，想想真够温馨，无怪乎周作人要为之作文写诗了。

鲁迅《朝花夕拾·狗猫鼠》：“我的床前就贴着两张花纸，……一张‘老鼠成亲’却可爱，自新郎新妇以至傧相、宾客、执事，没有一个不是尖腮细腿，像煞读书人的。”

原注云长柄宫灯上题“无底洞”，是《西游记》八十三回老鼠精的洞名。丰子恺插图画了宫灯，灯上却只题双喜字。

丙之三・滚灯

【原诗】 滚灯身手好男儿，画出英雄气短时。
莫笑闺中甘屈膝，陈风古有怕婆诗。

【原注】 花纸有“滚灯”者，不详其本事，画作男子伏地头顶烛台，女人着红抹胸戟指指麾。《诗经》中“彼泽之陂”一篇，牟默人说是陈人怕妇诗，见所著《诗切》中。昔与故友饼斋谈及，诵“涕泗滂沱”及“有美一人，硕大且俨”语，辄相与绝倒。

【笺释】 “花纸三”咏“滚灯”，今即以此题之。

滚灯很少见诸记载。《西湖游览志馀·偏安逸豫》：“以纸灯内置关捩，放地下，以足沿街蹴转之，谓之滚灯。”此与顶灯滚凳不是一回事。《扬州画舫录》卷十一介绍虹桥艺人，谓“王大头尖而不颣，置碗头上，碗中立纸绢人数寸，跪拜跳踉，至于偃仆，其碗不坠。……其后安庆武部习其技，置灯头上，谓之滚灯。”或系滚灯登台演出最早的记录。《药堂杂文·关于祭神迎会》，记述诸神出巡，游行队伍中“扮戏曲故事，或坐或立，抬之而行，又有骑马上者”“所扮有《滚凳》《活捉张三》，皆可笑”。这《滚凳》应即是《滚灯》，但抬之而行，或在马上，都无法动作，只能摆个样子。《巴陵戏志·皮庆滚灯》：“演员将燃着的油灯置于头顶，在戏台上满地打滚，灯不倾斜，油不外溢，似今之杂技顶碗表演。”皮庆由丑角扮出，他怕老婆而又好嫖赌，一夕晚归被罚跪，还得顶灯翻滚，做出各种动作，引人发笑。这才真正成为一出丑角戏。

古时候只尊男权，老婆没什么地位，在民间却一直流传着许多“怕老婆”的故事；樊梨花、穆桂英等明知其不可能会有的女英雄，一直活跃在戏台。这和男人们进戏园子看皮庆滚灯，看得开心大笑，回家后再在低眉顺目的女人们身上大逞威风一样，都是反差很大，很值得注意的现象。

我们再来看《滚灯》里的那盏灯，《巴陵戏志》说“油不外溢”，应是油灯。卷首［图八］《滚红灯》花纸上的却是蜡烛，《妻打男》花纸上的又是带玻璃灯罩的煤油灯，挨打的男人得用手护着它。丰子恺的插图，“男子伏地头顶烛台，女人着红抹胸戟指指麾”是画出来了，但这么高的烛台顶在蓄辫发的头上，又是一身长袍马褂，滚是无论如何没法滚的了。

《诗切》，山东栖霞牟庭著。牟氏字陌人（周作人写作默人），清乾隆贡生。《诗切》五十卷，费时三十馀年，凡六易稿，成书于嘉庆二十一年。

《药堂语录·读诗管见》：“《诗切》所说虽多似诙诡，然亦颇有适切者。如《泽陂》之第三章云：‘彼泽之陂，有蒲菡萏。有美一人，硕大且俨。寤寐无为，辗转伏枕。’牟氏解之为陈人怕妇诗，岂不极似？徐读一过，直令人忍俊不禁，此虽未能谓为确解，总不得不说殊有巧思也。”

原注中提及“故友饼斋”，饼斋为钱玄同别号。

丙之四·十兄弟

【原诗】 曼倩诙谐有嗣响，诺皋神异喜重听。

大头天话更番说，最爱捕鱼十弟兄。

【原注】 为儿童说故事多奇诡荒唐，称曰“大头天话”，即今所谓童话也。十兄弟均奇人，有长脚、阔嘴、大眼等名，长脚入海捕鱼，阔嘴一尝而尽，大眼泣下，遂成洪水，乃悉被冲去。

【笺释】 “故事”诗原有三首，本首所咏故事为“十兄弟”，今题作“十兄弟”。

曼倩为东方朔之字，他是汉武帝时人，特别会编讲故事，《汉书》谓“而后世好事者因取奇言怪语附着之朔”。鲁迅《中国小说史略》：“称东方朔撰者有《神异经》一卷。”

“诺皋”为道教太阴神名，道教徒请神时用作发语之词。唐段成式《酉阳杂俎》前集有《诺皋记》二卷，续集有《支诺皋》三卷，所记多奇诡荒唐故事。《诺皋记上》有一则云：

“天翁姓张名坚，字刺渴，渔阳人，少不羁，无所拘忌。尝张罗得一白雀，爱而养之。梦刘天翁责怒，每欲杀之，白雀辄以报坚，坚设诸方待之，终莫能害。天翁遂下观之。坚盛设宾主，乃窃骑天翁车，乘白龙，振策登天。天翁乘余龙追之，不及。坚既到玄宫，易百官，杜塞北门，封白雀为上卿候，改白雀之胤不产于下土。刘翁失治，徘徊五岳作灾，坚患之，以刘翁为太山太守，主生死之籍。”

《药堂语录·张天翁》全引此一段，案云：“此事便只是荒唐得好玩，是传说与童话的特色。”王士禛《香祖笔记》将其斥之为妄，《语录》则为之解释，认为刘张二位交代天翁职位，无非将人世篡夺的把戏应用到天上罢了。同一荒唐，在现实中可怕，在神话故事中则可喜，会使人爱读甚至歌咏叹美也。

《亦报随笔·妙峰山与无底洞》：“小孩喜欢听讲故事，有地方叫‘说古今’，或云‘大头天话’，里边不但猫狗说话，而且妖精现形，老虎化为外婆，田螺变成新妇，现在的成年人大概还多少记得。后来从外国传进知识来，知道这些都是童话。”

十兄弟的故事，据绍兴陈伯田君所述，情节大约是这样的：有村妇求子，来一老翁，令吞菜籽十颗，遂一胎生十子，一大头，二硬颈，三长脚，四远听，五油煎，六厚皮，七入地，八大脚，九阔嘴，十大眼。大头进城，头触屋坍毙人，论抵当斩。远听得知，使硬颈往代，刀不能伤。官命溺死，则长脚往代。改下油锅，油煎入锅，毫无痛苦。改用锯刑，厚皮受锯亦不伤。最后遂将其活埋，入地往代，旋即回家矣。合家欢聚，家贫无肴，长脚下海捕得大鱼，又乏柴火，大脚将刺入脚板之木头拔出当薪。鱼羹熟后，阔嘴争先尝味，一啜而羹为之尽。大眼老十不禁大哭，眼泪竟成洪水。长脚负母上山，随后并将众弟兄一一救出，从此十兄弟孝顺友爱，欢喜度日。

所谓“大头天话”，或即由“十兄弟”故事中的“大头老大”而起。

丙之五·老虎外婆

【原诗】　老虎无端作外婆，大囡可奈阿三何。
天教热雨从头降，拽下猴儿着地拖。

【原注】　“老虎外婆”为最普通的童话，云老虎幻为外婆潜入人家，小女为其所啖。大女伪言如厕，登树逃匿。虎不能上，乃往召猴来，猴以索套着颈间，径上树去。女惶急遗溺着猴头上，猴大呼热热，虎误听为拽，即拽索急走，及后停步审视，则猴已被勒而死矣。俗语呼猴子曰阿三。

【笺释】　原为“故事二”，因咏老虎外婆，即以为题。《鲁迅的故家·童话》：“西洋的小孩有现成的童话书，什么《杀巨人的甲克》《灰丫头》以及《三个愿望》等……我们没有这些，只是口耳相承的听到过《蛇郎》和《老虎外婆》等几个故事。”

《儿童文学小论·童话研究》述老虎外婆故事云：

“母有二女，一日宁家，因止宿焉。夕有虎至，伪言母归（锺按：母归当作外婆来）。及夜共卧，即杀幼女食之。长女闻声，询其何作，曰方食鸡骨头糕干也，女乞分啖，乃掷一指予之。女惧谋逸，诡言欲溲，便命溺被中。女诿以被冷，乃索足带牵之。女以带端系溺器盖上，登树匿。虎曳带不见有人，乞猿往捕，猿堕地死，卒不能得。”后又云：

“《老虎外婆》中言，女欲秉火出迎，虎止勿须，坐瓮上，藏其尾。又卧时女怪其毛毿毿然，虎以被袭自解。恐皆后出，以为前言文饰者也。”

这老虎化身外婆入家噬人的故事，在许多地方都有，却不一定都化作老虎。《童话研究》云："江西一说为猩猩，而无使猿捕女事。"又云："俄国童话则别称巴巴耶迦（Baba Yaga），居鸡脚舍中。日本则曰山姥，亦云山母""言有三子，名豆大、豆次、豆三。山姥入其家，夜取豆三啖之，问何声响，答曰，食泽庵渍芦菔也，又索食，亦予一指。二人思遁，豆次言欲溺，山姥令溺庭间（方言谓室中泥地）。曰恐为庭神所怒，遂得脱，匿井边桃树上。山姥窥水见影，追之，坠地而死。其后又言坠处适在荞麦田中，流血渍麦，故荞麦之壳至今赤色，则转为物原传说，但论大体与《老虎外婆》甚肖，虑非孤生也。"

《童话研究》的结论是："国民传说，原始之时类甚简单，大抵限于一事，后渐集数式为一，虽中心同意，而首尾离合，故极其繁变。如上举二式，同为食人，节目亦近，而终乃变异，一为物原传说，一为动物故事，可以见矣。老虎外婆令猿追女，猿以绳绕颈，缘树而上，女惶迫溺下，猿呼热，虎误解为曳（热、曳，越音相近），即曳其绳，猿遂缢死。其结束重在猿虎因缘，与《老虎怕漏》同，此特多滑稽之趣而已。"这就进而对不同国家的民间故事作比较的分析，具有学术的意义了。

老虎外婆的故事，和十兄弟的故事一样，我自己小时候也是听过的，可见它在中国也很普及，并不限于绍兴或江西。现在幼儿园里，"狼外婆"骗"小兔子乖乖，把门开开"的游戏儿歌，也还在小朋友口中唱着呢。

丙之六·仙山

【原诗】 幻想山居亦大奇，相从赤豹与文狸。
床头话久浑忘睡，一任檐前拙鸟飞。

【原注】 空想神异境界，互相告语每至忘寝。儿童迟睡，大人辄警告之曰，拙鸟飞过了。谓过此不睡，将转成拙笨也。拙鸟是一种想象的怪鸟，或只是鸟之拙者，故飞迟归晚，亦未可知。但味当时语气，则似以前说为近耳。

【笺释】 本首原为“故事三”，却是咏自家兄弟编了故事说着解闷，因为“最普通的是说仙山”，即题作“仙山”。

《鲁迅的故家·童话》曾经特别提到这首诗，说：“这里边也有本事，有一时期鲁迅早就寝而不即睡，招人共话，最普通的是说仙山。这时大抵看些《十洲》《洞冥》等书，有‘赤蚁如象’的话，便想象居住山中，有天然楼阁，巨蚁供使令，名阿赤阿黑，能神变，又炼玉可以补骨肉，起死回生。似以神仙家为本，而废除道教的封建气，完全童话化为以利用厚生为主的理想乡。每晚继续的讲，颇极细微，可惜除上记几点之外全都已记不得了。”

鲁迅《中国小说史略》：“《十洲记》一卷亦题东方朔撰，记汉武帝闻祖洲、瀛洲、玄洲、炎洲、长洲、元洲、流洲、生洲、凤麟洲、聚窟洲等十洲于西王母，乃延朔，问其所有之物名，亦颇仿《山海经》……又有《汉武洞冥记》四卷，题后汉郭宪撰，全书六十则，皆言神仙道术及远方怪异之事。”

《楚辞·九歌·山鬼》："乘赤豹兮从文狸。"五臣云，"皆异兽也"。其实都是神话中的异兽，现实的豹和狸皆不能乘和从也。

《自己的园地·儿童剧》述剧作者阿耳考忒夫人回忆儿时自编自演巨人、巫婆及地仙，十分有趣。因谓："我们的回忆没有这样优美……现在所记得的是十二岁往三味书屋读书时候的事情……从家里到塾中不过隔着十家门面，其中有一家的主人头大身矮，家中又养着一只不经见的山羊……同学里面有一个身子很长……又有一个长辈，因为吸鸦片的缘故，耸着两肩，仿佛在大衫底下横着一根棒似的：这几个现实的人，在那时看了都有点异样，于是拿来戏剧化了，在有两株桂花树的院子里扮演这日常的童话剧。大头不幸的被想象做凶恶的巨人，带领着山羊占据了岩穴，扰害别人；小头和耸肩的两个朋友便各仗了法术去征服他，小头从石窟缝里伸进头去窥探他的动静，耸肩等他出来，只用肩一夹，便把他装在肩窝里捉了来了……但在那时觉得非常愉快，用现代的话来讲，演着这剧的时候实在是得到充实生活的少数瞬间之一。"

自编神话自演故事，这是儿童的创作，不必多加干涉。《自己的园地·儿童的书》批评中国教育"中了实用主义的毒，对儿童讲一句话，眨一眨眼，都非含有意义不可"。然后说道："儿童空想正旺盛的时候，能够得到他们的要求，让他们愉快的活动，这便是最大的实益……总之儿童的文学只是儿童本位的，此外更没有什么标准。"

丙之七·一颗星

【原诗】　夏夜星光特地明，儿歌啁哳剧堪听。
爬墙蜞蚁寻常有，踏杀绵羊出事情。

【原注】　儿歌《一颗星》最通行，前后趁韵接续而成，绝无情理，而转换迅速，深惬童心。末曰“蜞蚁会爬墙，踏杀两只大绵羊”。末句有各种异说，此为其雅驯者也。

【笺释】　“歌谣”原亦有三首，本首咏儿歌“一颗星”，今即以歌名为题。

《越谚》卷上“孺歌之谚”有《一颗星》，原注云：“颗，平声。相传嘉庆时召越人之部书者，外人混充辄问此谚。其真者必笑曰，童习语也，诵之如流。”歌云：

“一颗星，隔棂灯。两颗星，加油明。油瓶漏，好炒豆。炒得三颗乌焦豆，拨隔壁妈妈搽瘌头。瘌头臭，加乌豆。乌豆香，加辣姜。辣姜辣，加水獭。水獭尾巴长，加姨娘。姨娘耳朵聋，加裁缝。裁缝手脚慢，加只雁。雁会飞，加只鸡。鸡会啼，加蜞蚁。蜞蚁会爬墙，踏杀两只大绵羊。”

末句“踏杀两只大绵羊”确有各种异说，最不雅驯的一句是“肏得小老鼠喊娘”。现存《童谣研究》稿本(封面写“二年癸丑一月始业，拟编为越中儿歌集一卷”)第十五页第三十一首则作“入得小老鼠赖娘”。

孩子们唱“蜞蚁会爬墙”是“寻常有”的游戏；若是在该唱“踏杀两只大绵羊”时唱出“肏得小老鼠喊娘”什么的来，

那就会“出事情”，也就是挨长辈的骂了。

《越谚》卷中“虫豸部”：“蜣蚁，呼义，蚁也。”也就是普通的蚂蚁，但在绍兴方言中念作“呼义”。

《儿童文学小论·歌谣》：“游戏时选定担任苦役的人，常用一种完全没有意思的歌词，这便称作‘决择歌’(Counting-out song)……还有一种只用作歌唱，虽亦没有意思而各句尚相连贯者，那是趁韵的滑稽歌。”《一颗星》即是此种。

同书中《儿歌之研究》：“越中小儿列坐，一人独立作歌，轮数至末字，其人即起立代之，歌曰：‘铁脚斑斑，斑过南山；南山里曲，里曲弯弯；新官上任，旧官请出。’此本决择歌……凡竞争游戏，需一人为对手，即以歌别择，以末字所中者为定……盖儿歌重在音节，多随韵接合，义不相贯，如‘一颗星’及‘天里一颗星，树里一只鹰’‘夹雨夹雪，冻杀老鳖’等皆然。儿童闻之，但就一二名物，涉想成趣，自感愉悦，不求会通。童谣难解，多以此故。”

写作《童谣研究》前十五年戊戌，六岁的四弟椿寿病亡，周作人做了一首《冬夜有感为四弟作》：“空庭寂寞伴青灯，倍觉凄其感不胜，犹忆当年丹桂下，凭栏听唱一颗星。”此为现存他的最早的诗作，可见《一颗星》这首儿歌在周氏兄弟儿时生活中的位置。凭栏听唱，手足怡怡，四兄弟中不幸夭折了一个，重亲情的自然会“凄其感不胜”，形诸笔墨。

丙之八·火萤虫

【原诗】 阶前喜见火萤虫，拍手齐歌夜夜红。
叶底点灯光碧绿，青灯有味此时同。

【原注】 越中方言称萤火为火萤虫。儿歌云，火萤虫，夜夜红。

【笺释】 本首原为“歌谣二”，今题作“火萤虫”。

《越谚》卷上“谣谚之谚”有《各自食力勤俭作家谣》：“火萤虫，夜夜红，公公挑菜卖胡葱(妇谓舅曰公公)，婆婆绩缲糊灯笼(姑曰婆婆)，倪子开店做郎中(行医)，新妇抽牌捉牙虫(又有一说，倪子打卦做郎中，新妇织布兼裁缝)，一石米桶吃勿空。”《童谣研究》稿本卷二亦录有此歌，“倪子”作“儿子”，最后一句又按云，“一无此句”。

《儿童文学小论·儿歌之研究》谓儿歌“分为前后两级，一曰母歌，一曰儿戏。母歌……其最初者即为抚儿使睡之歌……次为弄儿之歌，先就儿童本身指点为歌，渐及于身外之物……越中持儿手，以食指相点，歌曰‘斗斗虫，虫虫飞，飞到何里去？飞到高山吃白米，吱吱哉！’……又如‘点点窝螺’‘车水咿哑喔’‘×××到外婆家’‘打荞麦’亦是。又次为体物之歌，率就天然物象，即兴赋情，如越之‘鸠鸣燕语’‘知了喈喈叫’‘火萤虫夜夜红’。杭州亦有之，云‘火焰虫，的的飞，飞上来，飞下去’，或云‘萤火萤火，你来照我’，甚有诗趣。北京歌有‘喜儿喜儿买豆腐’‘小耗子上灯台’。《北齐书》引童谣‘羊羊吃野草’，《隋书》之‘可怜青雀子’又‘狐截尾’，《新唐书》之‘燕燕飞上天’，皆其选也。”

在儿歌里被唱着的火萤虫，从前说成是勤奋夜读的灯火。《太平御览》引《续晋阳秋》：“车胤，字武子，好学不倦，家贫，不常得油，夏月则练囊盛数十萤火，以夜继日焉。”这囊萤照读的故事，成为读书人的美谈，流传很是久远，其实却是经不起检验，完全靠不住的。

《立春以前·萤火》引法布耳《昆虫记》的话说，“假如拿了一个萤火在一行文字上移动，黑暗中可以看得出一个个的字母……以外，什么都看不见了。这样的灯光会使得读者失掉耐性的。”可见这车胤的故事编得“很有点可笑。说是数十萤火，烛火能有几何？即使可用，白天花了工夫去捉，却来晚上用功，岂非徒劳？而且风雨时有，也是无法”。

“青灯有味”句出自陆放翁，《秋夜读书每以二鼓尽为节》诗云：“白发无情侵老境，青灯有味似儿时。”《苦口甘口·灯下读书论》：“苏东坡曾云：‘纸窗竹屋，灯火青荧，时于此间，得少佳趣。’这样情景实在是很有意思的，大抵这灯当是读书灯，用清油注瓦盏中令满，灯芯作炷，点之光甚清寒，有青荧之意，宜于读书，消遣世虑……总之这青灯的趣味在我们曾在菜油灯下看过书的人是颇能了解的，现今改用了电灯，自然便利得多了，可是这味道却全不相同，虽然也可以装上青蓝的磁罩。”

丙之九·水牛儿

【原诗】　捉得蜗牛叫水牛，低吟尔汝意绸缪。
上街买得烧羊肉，犄角先伸好出头。

【原注】　北京儿歌："水牛水牛，先出犄角后出头，你爹你妈，给你买的烧肝儿烧羊肉哙。"北方谓角曰犄角，"犄"读如"鸡"。

【笺释】　本首原为"歌谣三"，改题作"水牛儿"。

水牛儿是北京对蜗牛的俗称。《夜读抄·塞耳彭自然史》述怀德（White）对蜗牛的介绍云："其有壳的蜗牛，即所谓带屋的（Phereoikos），则非到四月十日左右不出来，他不但一到秋天便老早的隐藏到没有寒气的地方去，还用了唾沫做成一层厚盖挡住他的壳口，所以他是很安全的封了起来，可以抵挡一切酷烈的天气了。"正是因为它能够带着屋子行动，从屋子里面"先出犄角后出头"，所以才会引起孩子们的兴趣。

《艺术与生活·儿童的文学》："（幼儿前期）的诗歌，第一要注意的是声调。最好是用现有的儿歌，如北平的《水牛儿》《小耗子》都可以用，就是那趁韵而成的如'忽听门外人咬狗'，咒语一般的决择歌如'铁脚斑斑'，只要音节有趣，也是一样可用的，因为幼儿唱歌只为好听，内容意义不甚紧要。"

我们来看这首儿歌："水牛水牛，先出犄角后出头"，声调确实和谐好听；"你爹你妈，给你买的烧肝儿烧羊肉哙"，更是摹仿大人爱抚小儿的口吻，正所谓“低吟尔汝意绸缪”也。

《风雨谈·绍兴儿歌述略序》：“辞汇中感到缺乏的，动作与疏状字似还在其次，最显著的是名物，而这在方言中却多有，虽然不能普遍，其表现力常在古语或学名之上。如绍兴呼蘩缕曰小鸡草，平地木曰老弗大，杜鹃花曰映山红，北平呼栝蒌曰赤包儿，蜗牛曰水牛儿，是也。柳田国男著《民间传承论》第八章‘言语艺术’项下论水牛儿的名称处有云：‘命名者多是小孩……有好多是保姆或老人替小孩所定的名称，大概多是有孩子气的，而且这也就是很好的名字。’”

烧羊肉是北京有名的食物，方子箴《春明杂忆》诗云“松花糟蟹烧羊肉”，杨静亭《都门杂咏》亦有《月盛斋烧羊肉》一首。张次溪《天桥志》第八章《天桥吃食》之三十七：“羊肉铺在夏季向例除卖生羊肉外，带售烧羊肉，所有头、蹄、腱子、板筋、心肺、肚子及羊骨等，连同羊肉，加青酱、五香肉料入锅同煮，待熟后，羊肉再入滚油内煎炸一次，即谓之烧羊肉。”

烧肝通称炒肝。张次溪一九五〇年作《天桥志》，说“炒肝只是徒有其名，原料确非猪肝，而并不用炒，很可说它一声是名不副实……只将大肠切碎，和以团粉香料酱油作料等，于是炒肝即算做成”。李其功二〇〇〇年写《边吃边聊》，却说“炒肝的做法……把熟肥肠改刀切成顶针段”“生猪肝斜切成片”，先后下汤锅，勾芡，加蒜泥搅匀即成，猪肝又成为炒肝的原料。这种变化，作文著书若能多加注意，作些说明，那就更好了。

丙之十·吹嘟嘟

【原诗】 门前迎会闹哄哄，要货年年样式同。
买得纸鸡吹嘟嘟，木头斗虎竹蟠龙。

【原注】 城中神佛按时出巡，俗称迎会，多有炫卖玩具者，率极质朴。以纸屑、泥土及羽毛为鸡形，中有竹叫子，吹之有声，名曰“吹嘟嘟”，大抵只值一文一个。

【笺释】 “玩具”原有诗二首。本首咏“吹嘟嘟”即纸鸡，是最便宜的儿童玩具，故题作“吹嘟嘟”。

“迎会”为迎神赛会之简称，观鱼《绍兴的风俗习尚》简称曰“迎赛”：“不论是菩萨是神，凡是寺庙里塑有偶像的，逢到他的生日都可以作迎赛的资料，抬出来迎一迎，赛一赛，哄得一般群众万人空巷，举国若狂，街谈巷议，都是迎赛的史实。自正月至九月，据不准确的传述，约计有二十起之多”。

接着又说，妇女们烧香后，“买些竹龙、吹嘟嘟之类，带回家中给儿孙们作回货(原注：出门带点东西回来叫回货)。”

“要货”为绍兴方言，即是玩具。《湖雅》卷九：“凡小儿戏具，皆以木以锡以纸以泥造成，形式名目甚多，统名要货。”

《亦报随笔·洋囡囡》：“小孩的玩具大抵多在庙市或新年设摊售卖，但乡下也有店铺，墙上大书曰‘要货’，其实这也只能算是文言，在口语中则称之为‘嬉家生’，意思是说游戏用的器具，并无玩物丧志的意味含在里边，我觉得这倒是很难得的。他的种类并不很多，大都是模仿家生什物的。一是武器，木制刀枪椎斧，附纸制假面，俗名胡脸子……二是乐器，锣鼓铙钹，喇叭箫管。三是家具，桌椅盘碗，烛台手炉等。四是杂类，竹木制的蟠龙斗老虎，泥制可吹响的鸡与青蛙，各种人物如状元、老嫚、‘一团和气’与老寿星，此外也有孩童，却只有正面着色，总称曰烂泥菩萨。”

“蟠龙斗老虎”，即“木头斗虎竹蟠龙”也。

《往昔三十首·玩具》：

往昔买玩具，吾爱填填鼓。亦有纸叫鸡，名曰吹嘟嘟。
架上何累累，泥人与泥虎。光头端然坐，哈喇挺大肚㈠。
高髻着长帔，云是堕民妇㈡，火漆摸虾翁，攘臂据竹篰。
水牛红金鱼，果品以十数。更有木盘碗，家用诸器具。
唯独花鸭子㈢，小儿非所许。恶画复易损，只供掷骰赌。

㈠弥勒佛俗称哈喇菩萨。㈡堕民读作堕贫，其妇女俗称老嫚，着青衣、青半臂，民间有婚丧，辄来服役，多得赏与。㈢鸭蛋上以彩色画戏文，亦有画秘戏者，香市时有之。

“吹嘟嘟”的情形，《玩具》诗原注已经说得明白。总之这是当时绍兴小儿最易得到的玩具，《亦报随笔》讲到“泥制可吹响的鸡”，《往昔》诗中“亦有纸叫鸡，名曰吹嘟嘟”，说的都是它。蔡云《吴歈百绝》春之二注：“芦笙吹以娱小儿者，葭管箬簧，饰成冠羽，名曰叫鸡。”在过去无论谁写到绍兴的儿童娱乐时，都是不会遗漏这种一文钱一个的耍货的。

丙十一·南镇禹陵

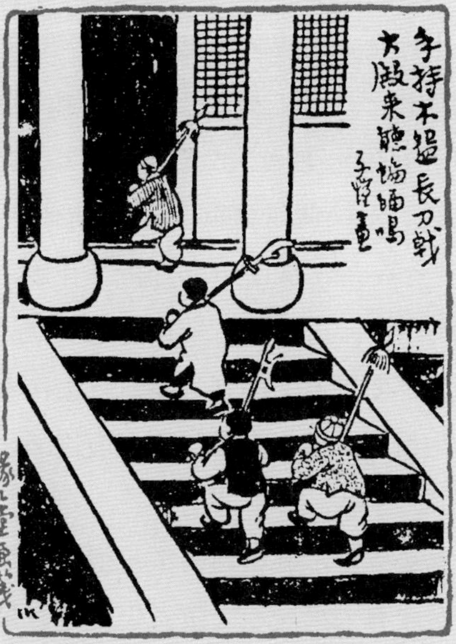

【原诗】 南镇归来谒禹陵，金阶百步上层层。
手持木碗长刀戟，大殿来听蝙蝠鸣。

【原注】 南镇即会稽山神庙，有碑曰“天南第一镇”，春日香火极盛。禹庙殿陛极高，有数十级，俗名百步金阶。仪门内两侧皆玩具摊，货木制盘碗刀枪。殿上多蝙蝠，昼夜鸣叫不息，或曰栖息于禹像耳中，不知其审，想亦当有之也。

【笺释】 本首原为“玩具二”，其实“木碗长刀戟”第一首已写过，这里讲的全是南镇禹陵游玩，即以“南镇禹陵”为题。

《绍兴的风俗习尚》：“南镇在(绍兴)县治的东南部，出稽山门东南行四里许至大禹陵，再东南行约二里即南镇。南镇所在地之山叫会稽山……(过去帝王)对国内的名山大川都在加封和祭祀，像‘五岳’‘四渎’‘五镇’之类，会稽山就是‘五镇’中的‘南镇’……明洪武间，尽去前代所封爵号，止称‘会稽山之神’……每年从旧历二月初一开始，到二月十九日止，叫做‘南镇市’，在这一时期内，无男无女，无老无少，只要风和日暖，都要出稽山门到‘南镇’去作春游……有的人以游玩禹王殿为目的，游罢回城，不再前进……”可说是当地最出名的盛会。

《药味集·禹迹寺》：“会稽与禹本是很有关系的地方，会稽山以禹得名，至今有大禹陵，守陵者仍姒姓，聚族而居，村即名为庙下……凡在春天往登会稽山高峰即香炉峰，往祭会稽山神即南镇的人，无不在庙下登岸，顺便一游禹庙……庙中有神像，高可二三丈，可谓伟观……但是方面大耳，戴冕端拱，亦是城隍菩萨一派，初无一点禹气也。”

历史上实有的人物，成为了戴冕端拱的城隍菩萨一派，实在滑稽，却很合乎“聪明正直，没则为神”的俗信。文章很幽默地说神像“初无一点禹气”，本来去的人也只是为了拜城隍菩萨也。

《药堂杂文·关于祭神迎会》：“一是南镇的会稽山神。……站在南镇内殿的廊下，看见殿内黑压压的一屋的人，真是无容膝之地。只要有这一点隙地，人就俯伏膜拜，红烛一封封的递上去，庙祝来不及点，至多也只焦一焦头而已。院子里人山人海，但见有满装鸡与肉的红白大木盘高举在顶上，在人丛中移动，或进或出，络绎不绝。大小爆竹夹杂燃放，如霹雳齐发，震耳成聋，人声嘈杂，反不得闻。”

《看云集·草木虫鱼·关于蝙蝠》：“蝙蝠的名誉我不知道是否系为希腊老奴伊索所弄坏，中国向来似乎不大看轻它的。它是暮景的一个重要的配色，日本《俳句辞典》中说：‘无论在都会或乡村，薄暮的景色与蝙蝠都相调和，但热闹杂沓的地方其调和之度较薄……看蝙蝠时的心情，也要仿佛感着一种萧寂的微淡的哀愁那种心情才好……’小时候读唐诗，(韩退之的诗么?)有两句云，‘山石荦确行径微，黄昏到寺蝙蝠飞’，至今还觉得有趣味。会稽山下的大禹庙里，在禹王耳朵里做窠的许多蝙蝠，白昼也吱吱地乱叫，因为我们到庙时不在晚间，所以总未见过这样的情景。”

丙十二·绿官

【原诗】 胡蝶黄蜂飞满园，南瓜如豆菜花繁。

秋虫未见园林寂，深草丛中捉绿官。

【原注】 绿官状如叫蝈蝈而稍小，色碧绿可爱，未尝闻其鸣声，儿童以为是络纬之儿，盖非其实也。

【笺释】 “虫鸟”共有五首，此首依所咏题作“绿官”。

“绿官”的通称和学名叫作什么，原来全不知晓，即使在我的绍兴朋友中，亦无人听说过“绿官”这种“色碧绿可爱”的小虫。原注谓其“状如叫蝈蝈而稍小”，那么它究竟是一种什么昆虫呢?

绍兴张润民君来信云：“这里的蝈蝈略小于北地蝈蝈，纯为绿色；近年北方来绍卖蝈蝈的渐多，则无一为纯绿的。”

《新民晚报》一九八八年九月二十九日张大根《末代皇帝和叫哥哥》一文，说是叫哥哥即蝈蝈儿有两种，一种是翠绿的翠哥哥，一种是铁锈色的铁哥哥。

依两位的说法，我想，“绿官”可能就是还没有完全长成的翠哥哥。“南瓜如豆菜花繁”，时间还在夏天，“秋虫未见”，盖非其时，“未尝闻其鸣声”也就是十分自然的了。

《亦报随笔·阿官与洋娃娃》论及知识分子语言和词汇的贫乏时说道：“许多自然和人工的名物以及动作，在他们书房与书本上都没有。”还举翻译小说名《哥儿》为例，说“出典是可靠的，但不能说是通俗……俗语的'少爷'可惜含有贬的意思稍多，乡下说'阿官'便很相近了"。

"哥"与"官"本一音之转，明乎此，则"绿官"之为"绿哥"亦即"绿蝈"，岂不也就顺理成章了吗？

蝈蝈本是一种有名的鸣虫。阙名《燕京杂记》："京师有草虫状如蟋蟀，肥大而青，生于夏秋间，声唧唧甚聒耳。京师人多笼以佩之……八旗满洲妇人多有空其鞋底以纳之，使其声与履声相应……俗名此虫为啯啯（蝈蝈）。"潘荣陛《帝京岁时纪胜》："少年子弟好畜秋虫曰蛞蛞，乃蝼蛞之别种，寄生于稻田禾黍之间，又名曰叫蚂蚱……此虫夏则鸣于郊原，秋日携来，笼悬窗牖，以佐蝉琴蛙鼓，能度三冬。以雕作葫芦，银镶牙嵌，贮而怀之，食以嫩黄豆芽、鲜红萝卜。"这"蛞蛞"也就是蝈蝈。

那么，还有不有"状如叫蝈蝈而稍小"的另一种呢？

汪曾祺《夏天的昆虫》中说："蝈蝈我们那里叫做'叫蛐子'，因为它长得粗壮结实，样子也不大好看，还特别在前面加一个'侉'字，叫做'侉叫蛐子'。……另有一种秋叫蛐子，较晚出，体小，通身碧绿如玻璃料……价钱比侉叫蛐子贵得多，养好了，可以越冬。"

生物学者吴德铎函告："蝈蝈在动物学上属昆虫纲直翅目螽斯科，学名 Gampsocleis inflata，体长五至七厘米。又有一种'绿螽斯'，学名 Holochlora nawae，体长约四十五毫米。"

绍兴儿童以为是络纬之儿的绿官，还有汪曾祺所说"通身碧绿"的，也许便是学名 Holochlora nawae 的这种绿螽斯吧。

丙十三·油蛉

【原诗】　辣茄蓬里听油蛉，小罩扪来掌上擎。
瞥见长须红项颈，居然名贵过金铃。

【原注】　油蛉状如金铃子而差狭长，色紫黑，鸣声瞿瞿，低细耐听，以须长颈赤者为良，云寿命更长。畜之者以明角为笼，丝线结络，寒天悬着衣襟内，可以过冬，但入春以后便难持久。或有养至清明时节，在上坟船中闻其鸣声者，则绝无而仅有矣。

【笺释】　本首原为“虫鸟二”，今题作“油蛉”。

周氏己亥年日记：十月十八日至调马场拜坟，“山中油蛉甚多，一路草木荆棘中无不有之，可作一部鼓吹”。

鲁迅《从百草园到三味书屋》：“油蛉在这里低唱，蟋蟀在这里弹琴。”

《鲁迅的故家·园里的动物》：“油蛉这东西不知道在绍兴以外地方叫做什么……只能说是一种大蚂蚁似的鸣虫吧。”

观鱼《三台门的遗闻佚事》则介绍得更加详细具体一点：“(油蛉)是一种颈红背黑似蟋蟀而比蚂蚁大的一种虫，鸣声甚好听，每届秋末冬初常出现于百草园。傍晚之际，大家都往百草园去寻去捉，捉到后再分优劣，分置于自制的纸盒，或者购自市上的明角盒内……阴历十月例须到各祖坟送寒衣，也趁便携带器具到坟旁去捉油蛉……坟旁捉到的体质较园里所捉的为优，多数可以饲养到第二年的春季，名之曰‘山货’，以坟的所在多依山也。山货可过冬，为最上品。”

原注说油蛉状如金铃子而差狭长，观鱼说它似蟋蟀，鸣声甚好听，那么它有可能便是蟋蟀科中学名 Homoeogryllus japonicus，北京人叫做“金钟儿”的了。袁宏道《畜促织》文云金钟儿“微类促织，而韵致悠扬，如金玉中出，温和亮彻，听之令人气平。”富察敦崇《燕京岁时记》说它“形如促织，七月之季贩运来京，枕畔听之最为清越，韵而不悲，似生为广厦高堂之物，金钟之号非滥予也”。

《丁亥暑中杂诗》中有《秋虫》一首，却是咏油葫芦的：

凉风起夜半，秋虫鸣前庭。细听非促织，乃是油唧呤㈠。
因风送繁响，恍如振银铃。反复鼓哀调，急迫难为听。
剧怜黑大汉，缘何作此声？将是唱恋歌，当户理鸣铮。
及时不见采，将随秋草零。造物乐有物，众生执此生。
生生实天意，仁义乃俗情。方向既自定，道路所由成。
人生诚微末，智力庶可凭。若不造幸福，空负灵长名。
哲人重自然，高论涉杳冥。倘欲返本真，应学秋虫鸣。

㈠油葫芦似蟋蟀而大，油黑而有光，不能斗，鸣声也较为单调，乡语呼为油唧呤。

油葫芦学名 Gryllus testaceus，是蟋蟀科的另一种，但它“因风送繁响，恍如振银铃”时，给人的感觉和油蛉是一样的。诗人在此从秋虫谈到人应该敢发声，有追求，如不能这样，“空负灵长名”，则人不如虫矣。

丙十四·绩䌺婆

【原诗】 喜得尊称绩缲婆，灰黄衣着见调和。
淡花摘得供朝食，妨碍南瓜结实多。

【原注】 络纬，小儿呼为“绩缲婆婆”，读如吉介，多笼养之，摘南瓜淡花为食料，即雄蕊也。

【笺释】 本首原为“虫鸟三”，今题“绩缲婆”。缲音菜（cài），本义是衣缝和缝衣缝，但后来在绍兴话里，意义变成了绩麻，读音也变了。

绩缲婆通称纺织娘，即《诗经·七月》“六月莎鸡振羽”的莎鸡，亦即是李白《长相思》“络纬秋啼金井栏”的络纬，学名Mecopoda elongata，为昆虫纲直翅目螽斯科的一种。螽斯科共约三千种，与蟋蟀科的区别为听器位于前足，触角毛发状，等于或超过体长，鞘翅开合亦不同。《越谚》卷中“虫豸部”：“绩缲婆倍大于蝗，夜鸣以翼。”又“服饰部”：“绩缲，同幘，音借。麻丝绩成为团曰缲，其续也曰绩。”

《诗经·周南》有“螽斯”三章，古人释为后妃“若螽斯不妒忌，则子孙众多也”。现代人不会认同这个，关心的只是它那好听的声音。法布尔《昆虫记》第十一章说，“昆虫音乐会的参加者大部分是螽斯类”，络纬在其中肯定是最出色的。周作人对它也很熟悉，庚子（一九〇〇）年六月二十九日记：“夜初闻络纬。”五十一年后，一九五一年九月四日《亦报》上发表的

《秋虫的鸣声》又说："古来有以虫鸣秋这句话，这些虫就称之为秋虫，小时候在乡下知道得最多。绩缲婆婆官名络纬，蛐蛐在《诗经》上称蟋蟀，或称促织，此外有油唧呤、叫蛞蛞、蛐蛐儿、金铃子、油蛉和竹蛉，都是相当的会叫的。"

《瓜豆集·谈七月在野》一文历举郑玄、孔颖达、朱熹、郝懿行、毛奇龄、姚际恒、严粲、范家相、罗愿、乾隆诸家之说，谓古来对《诗经·七月》篇中虫名的解说多不一致。朱熹说得最是奇怪："斯螽、莎鸡、蟋蟀，一物随时变化而异其名。"罗愿赞成朱说："莎鸡鸣时正当络丝之候，故豳诗云，六月莎鸡振羽，七月在野，八月在宇，九月在户也。"姚氏则驳朱说："按陆玑云，斯螽，蝗类，长而青，或谓之蚱蜢。莎鸡色青褐，六月作声如纺丝，故又名络纬(今人呼纺绩娘)。若夫蟋蟀，则人人识之，几曾见三物为一物之变化乎？"周作人最后说道："我在这里深切地感到的是国故整理之无成绩，到了现在还没有一本重要的古书整理出来，可以给初学看看。"

南瓜花分雌雄，淡花注云"即雄蕊也"，其实准确的说法应该是只授粉不结瓜的雄花。在湖南农村里，人家一直把它做成菜肴，"农家乐"将其与鸡蛋同炒，用以供客，可算作上品。《亦报随笔·自然界的男性》："在自然界里，男性是没有什么价值的。小时候养纺织娘叫蝈蝈，不客气地摘南瓜丝瓜的淡花来给他们吃，可以说是很合理的。"这便是"淡花摘得供朝食"的注脚了。

丙十五·蠛蠓

【原诗】 风舂雨碓乱纷飞，省识微虫叫蠁斯。
揭起醋瓶群飞出，雅名学得是醯鸡。

【原注】 蠁斯即蠛蠓也，亦以称醯鸡。郭象《庄子注》已如此说，唯郝兰皋作《尔雅义疏》以为非是。

【笺释】 原题“虫鸟四”，题作“蠛蠓”，读音 miè měng，是一种小飞虫。诗中还有几个口语中已经消失了的字，如碓（duì），还有蠁（xiǎng）和醯（xī）。碓的原义是舂米器，此处作动词是做回旋如磨的动作。蠁斯和醯鸡，则都是蠛蠓的别称。

古书中记述名物，尤其是动植矿物，往往夹缠，有时候甚至比较混乱。以蠁而言，有时是“地老虎”，有时是醋坛子上飞舞的“细蠓子”，全看是在什么场合。

唐李石《续博物志》：“郭璞曰，蓬飞磑则天风，舂则天雨。蓬，蠓也。”《说文》：“蠓，蔑蠓也。”段注：“各本蔑作蠛，无此字……孙炎曰，此虫小于蚊。郭《图赞》曰，小虫似蜹，风舂雨磑。谓其上下如舂则天风，回旋如磨则天雨。”《尔雅》郭璞注：“小虫似蚋，喜乱飞。”《列子·汤问》云：“春夏之月，有蠓蚋者，因雨而生，见阳而死。”《庄子·田子方》云：“孔子见老聃，孔子出以告颜回曰，丘之于道也，其犹醯鸡与。”郭象注：“醯鸡者，瓮中之蠛蠓。”《越谚》卷中“虫豸部”：“蠁子，（音读）响思，暑天空中成阵者。”《集韵》：“蠁，一曰醯鸡名。”蒋鲂《切韵》云：“蠁子，酒醋上小飞虫也。”从前人家都有酒坛醋坛，见到这种小飞虫的机会很多。

以上均说明，蠛蠓、醯鸡、蠁子乃是同一种小虫，即昆虫纲双翅目的 Lasiohelea，现在我们长沙人把它叫做“闷子”，可能即“蠓子”的方音。

诗中说“省识微虫叫蠁斯”，这蠁斯实即是“蠁子”，可能因为“音读响思”，这里又只有用平声字才押韵，才把它写成“蠁斯”了。

在古代典籍中，单名“蠁”的，在更多的场合中乃是另一种虫。《说文》：“蠁，知声虫也。”《尔雅·释虫》：“国貉，虫蠁。’郭注：“今呼蛹虫为蠁。”郝懿行义疏：“今谓之地蛹。如蚕而大，出土中……蠁，犹响也，言知声响也。亦犹向也，言知所向也。”此即今之害虫“地老虎”，属昆虫纲鳞翅目夜蛾科，包括 Agrotis ypsilon 等若干种。

周氏儿时对蠛蠓真有这么深的印象吗？我看未必。《知堂回想录》一八二节说他于一九四八年在南京狱中曾作诗云：

> 寒暑多作诗，有似发疟疾。间歇现紧张，一冷复一热。
> 转眼严冬来，已过大寒节。这回却不算，无言对风雪。
> 中心有蕴藏，何能托笔舌。旧稿徒千言，一字不曾说。
> 时日既唐捐，纸墨亦可惜。据榻读尔雅，寄心在蠓蠛。

这时南京政府即将垮台，国民党作鸟兽散。周氏对国民党素无好感，想必这才是他“寄心在蠓蠛”，冷眼旁观这种“喜乱飞”的小虫的真正的缘故吧。

丙十六·姑恶鸟

【原诗】 姑恶飞鸣绕暮烟，春宵凄寂不成眠。

童心不识欢情薄，听到啼声总可怜。

【原注】 “姑恶飞鸣绕暮烟”，朱竹垞句。越系水乡，多姑恶鸟，夜中闻啼声甚凄婉。“东风恶，欢情薄”，见陆放翁《钗头凤》词。

【笺释】 本首原为“虫鸟五”，今题“姑恶鸟”。

朱竹垞《鸳鸯湖棹歌一百首》之十八：“姑恶飞鸣触晓烟，红蚕四月已三眠，白花满把蒸成露，紫椹盈筐不取钱。”见《曝书亭集》卷九。“触晓烟”此处作“绕暮烟”，或据别本。

姑恶鸟的学名是秧鸡科（Rallidae）的白胸秧鸟（White-breasted waterhen）。《不列颠百科全书》说：“秧鸡科一百多种身材纤细的沼泽鸟类……除高纬度地区外，遍布全球……小者如麻雀……大者如小鸡……栖于稠密的草丛中，鸣声响亮，夜间尤然。”

中国的记述亦与此相合，史震林《西青散记》：“姑恶者，野鸟也。色纯黑，似鸦而小，长颈短尾，足高，巢水旁密筱间，三月末始鸣……鸣常彻夜，烟雨中声尤惨也。”

因为它“鸣常彻夜……声尤惨”，古人便容易将它和社会上常见的妇女们的不幸联系起来，白胸秧鸟便成了姑恶鸟，又称苦鸟。《本草纲目》：“今之苦鸟，大如鸠，黑色。以四月鸣，其鸣曰苦苦。又名姑恶，人多恶之，俗以为妇被其姑苦死所化。”

《本草纲目》所述，其实是人们早已形成的共识。在这以前，便不知有多少文人写过为苦命媳妇鸣不平的诗歌，最有名的如苏东坡《五禽言》："姑恶，姑恶。姑不恶，妾命薄。"范成大《后姑恶诗》："姑不恶，妇不死。与人作妇亦大难，已死人言尚如此。"陆放翁《夜闻姑恶》诗亦云："不知姑恶何所恨，时时一声能断魂。"都是好例。

陆放翁是亲身经历过由姑妇不和造成的悲剧的人。毛晋题所刻《放翁题跋》后云："其咏《钗头凤》一事，孝义兼挚，更有一种啼笑不敢之情，溢于笔墨之外，故并记之。案放翁初娶唐氏，闳之女也，伉俪相得，弗得于姑，出之。未忍绝，为别馆住焉，姑知而掩之，遂绝。后改适同郡宗子士程，尝于春日出游，相遇禹迹寺南之沈氏园，放翁怅然赋一调云：'红酥手，黄滕酒，满城春色宫墙柳。东风恶，欢情薄，一怀愁绪，几年离索，错错错。//春如旧，人空瘦，泪痕红浥鲛绡透。桃花落，闲池阁，山盟虽在，锦书难托，莫莫莫。'令人不能读竟。"

《夜读抄·姑恶诗话》还抄录了陆放翁七十六岁时题沈园诗两首："城上斜阳画角哀，沈园非复旧池台。伤心桥下春波绿，曾是惊鸿照影来。""梦断香销四十年，沈园柳老不吹绵。此身行作稽山土，犹吊遗踪一泫然。"说道："最令人惆怅者莫过于沈园遗址。因为有些事情或是悲苦或是壮烈，还不十分难过，唯独这种啼笑不敢之情，深微幽郁，好像有虫在心里蛀似的，最难为怀。"我也觉得，后两首诗确实比前一首词更好。就凭陆放翁这两首诗，姑恶鸟的名字也就没白取了。

丙十七·河水鬼

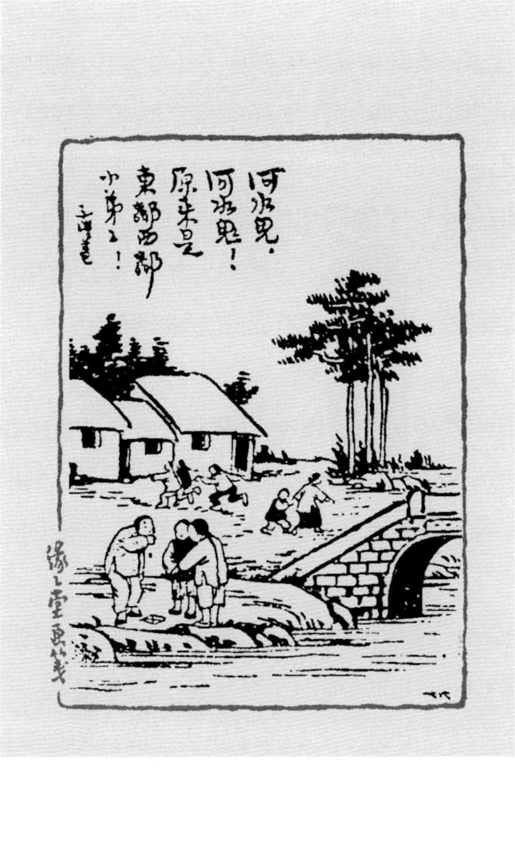

【原诗】 山魈独脚疑残疾，罔两长躯俨阿呆。

最怕桥头河水鬼，播钱游戏等人来。

【原注】 溺鬼俗称河水鬼，云状如小儿，常群聚水边掷钱为戏，儿童通常称为“顿铜钱”者是也。

【笺释】 本首原为“鬼物”两首之一，今题“河水鬼”。

山魈在古代传说中是一种独脚的鬼怪。唐戴孚《广异记》说它“独足反踵，手足三歧，其牝者好施脂粉，于大树中做窠”。清俞梦蕉《蕉轩摭录》卷十说“吾乡竞传独脚魈之异”。观鱼《三台门的遗闻佚事》谓：“百草园有怪名独脚魈，雪后常现一只脚的足迹。”

非洲有一种与狒狒同属的猴 Mandrillus sphinx，脸部呈鲜亮的红和蓝色，身高可达八十厘米。中文将其译作山魈，与原有语词意义混淆，似乎不能算是很好的译法。

罔两则纯系传说中的怪物。《越谚》卷中“鬼怪部”：“魍魉鬼，俗传见人渐长不止，脱鞋高举过之乃止。”旧时长沙俗信亦有此鬼，称“梧桐鬼”，也说它见人则长、越长越高。

河水鬼在长沙称落水鬼。《看云集·水里的东西》：“我们乡间称它作 Ghosychiü，写出字来就是‘河水鬼’……它每幻化为种种物件，浮在岸边，人如伸手想去捞取，便会被拉下去……

据说是身体矮小，很像是一个小孩子，平常三五成群，在岸上柳树下‘顿铜钱’……一被惊动便跳下水去，有如一群青蛙。”

朱海《妄妄录》卷二有《河水鬼》一则，记溺鬼化为缸浮水面，诱人拾取，指入缸口遽被拖住。

袁枚《续新齐谐》谓溺鬼带羊臊气，孙德祖《寄龛四志》以为信然，并举例证实。方旭《蠹存》云鬼作纸灰气，唯溺鬼作羊臊气。《书房一角·溺鬼》：“羊膻则不知何故，岂民间以河水鬼为异物，虽鬼而近于水怪，仿佛又似兽之一种欤。”

《水里的东西》又云：“在那边(日本)称作‘河童’，读如Kappa……是一种生物，近于人鱼或海和尚。它与河水鬼相同，要拉人下水，但也喜欢拉马，喜欢和人角力。它的形状大概如猿猴，色青黑，手足如鸭掌，头顶下凹如碟子，碟中有水时其力无敌，水涸则软弱无力，顶际有毛发一圈，状如前刘海。”

《谭延闿日记》民国二年十月九日：“饮罢久谈……所谈多神鬼之事。毓昆谓俗传落水鬼实一动物，乡人有捕及煮之者。其言颇近似。”则中国也有相信河水鬼为动物者矣。

周作人自云“街头终日听谈鬼”，这里又作了两首谈鬼物的诗。《夜读抄·鬼的生长》：“我不信人死为鬼，却相信鬼后有人。”《苦竹杂记·说鬼》：“我们喜欢知道鬼的情状与生活，从文献从风俗上各方面去搜求，为的可以了解一点平常不易知道的人情，换句话说就是为了鬼里边的人。反过来说，则人间的鬼怪伎俩也值得注意，为的可以认识人里边的鬼吧。”

丙十八·活无常

【原诗】 目连大戏看连场，扮出强梁有五伤。

小鬼鬼王都看厌，赏心只有活无常。

【原注】 目连戏及大戏中，演活无常均极滑稽之趣，即迎神赛会时亦如此，故小儿辈甚喜之。

【笺释】 本首原为“鬼物”之二，改题“活无常”。

《谈龙集·谈目连戏》：“吾乡……所演之戏，有徽班、乱弹高调等本地班，有‘大戏’，有目连戏。”

鲁迅《女吊》：“大戏和目连，虽然同是演给神、人、鬼看的戏文，但两者又很不同。不同之点，一在演员，前者是专门的戏子，后者则是临时集合的 Amateur——农民和工人；一在剧本，前者有许多种，后者却好歹只演一本《目连救母记》。”

宋孟元老《东京梦华录》：“自过七夕，便搬《目连救母》杂剧，直至十五日止。”清昭梿《啸亭续录》：“又演目犍连尊者救母事，析为一本，鬼魅杂出。”

《越谚》卷中“鬼怪部”有五伤鬼。《看云集·水里的东西》说“五伤大约是水、火、刀、绳、毒罢，但我记得又有虎伤似乎在内……虎伤鬼之一定大声喊阿唷，被杀者之必用一只手提了它自己的六斤四两的头……”黄中海《鲁迅作品中的绍兴戏》：“据绍兴的说法是，凡人死于意外的‘五伤’（如吊死、溺死、跌死、打死、火伤、虎伤、产伤等不是病死，死时出血的统称五伤)的，都是由于‘五伤恶鬼’特别是那些横死的恶鬼作祟(即冤气未散来讨替代之意)，而目连戏……就请鬼来看鬼戏，给以消冤超度。”

鲁迅《朝花夕拾·无常》：“鬼卒和鬼王是红红绿绿的衣裳，赤着脚，蓝脸，上面又画些鱼鳞……鬼卒拿着钢叉，叉环振得琅琅地响，鬼王拿的是一块小小的虎头牌……看客对于他们不很敬畏，也不大留心……最愿意看的，却在活无常。他不但活泼而诙谐，单是那浑身雪白这一点，在红红绿绿中就有鹤立鸡群之概。只要望见一顶白纸的高帽子和他手里的破芭蕉扇的影子，大家就都有些紧张而且高兴起来了。”

《药堂杂文·关于祭神迎会》：“无常鬼有二人，一即活无常，白衣高冠草鞋，持破芭蕉扇；一即死有分，如《玉历钞传》所记，民间则称之曰‘死无常’，读如国音之“喜无上”。活无常这里乃有家属，其一曰“活无常嫂嫂”，白衣敷脂粉，为一年轻女人，其二曰‘阿领’，云是拖油瓶也，即再醮妇前夫之子，而其衣服容貌乃与活无常一律，但年岁小耳。此一行即不在街心演作追逐，只迤逦走过，亦令观者不禁失笑，老百姓之诙谐亦正于此可见。”

鲁迅和周作人所述活无常，都白衣高冠持破芭蕉扇，鲁迅还为它画过一幅这样形象的图画；而插图中丰子恺所画的却黑衣黑帽，帽上“一见生财”，口吐长舌，手持“拿捉”牌，此盖是死有分即死无常，并不是活无常。

丙十九·水果

【原诗】 荸荠甘蔗一筐盛，梅子樱桃赤间青。
更有杨梅夸紫艳，输它娇美水红菱。

【笺释】 丙十九至丙二四共六首原题“果饵”，本首写的全都是水果，言不及饵，即题作“水果”。

集外文《关于荸荠》：“荸荠自然最好是生吃，嫩的皮色黑中带红，漆器中有一种名叫荸荠红的颜色，正比得恰好。这种荸荠吃起来顶好，说它怎么甜并不见得，但自有特殊的质朴新鲜的味道……乡下有时也煮了吃，与竹叶和甘蔗的节同煮，给小孩吃了说可以清火，那汤甜美好吃……”

集外文《再谈甘蔗》：“甘蔗只可生吃，煮了便是糖味，有人用小板凳似的家伙榨了汁吃，这也近似是糖水了。所以要吃甘蔗，还是只有自己嚼的那一个旧法子。”又说：“普通水果店里一定有一把刨，先刨去皮，再用铡刀切成一寸左右的短节。”

《饭后随笔·谈梅子》：“乡下有一种大青梅，土名青榔头，叫卖的大声叫道，青榔头，大梅子！大的径可二寸，放在桌上，只用拳头砰的敲一下，他就碎裂了。这有那么的脆，自然也那么的酸……酸是酸，却是有他的新鲜味。”

《鲁迅的故家·水果连生》：“初夏时节的樱桃体格瘦小，面色苍白，引不起诗人的兴趣来，却大为孩子们所赏识，一堆一堆的也要销去不少。至于大颗的，鲜红饱满的那种樱桃呢，那只有大街里才有，价钱当然贵，可是一听也并不怎么大，因为卖樱桃照例用的是老十六两秤，原来是老实六两，那么半斤也只是三两的价钱而已。”

范寅《越谚》：“杨梅，核外攒刺，簇簇如绒球。淡酸者白，酸甜者红，其乌与紫两色，甘美可口……佳者曰乌紫杨梅，出山阴漓渚，为超众之佳果。”《嘉泰会稽志》：“方杨梅盛出时，好事者多以小舫往游，因置酒舟中，高饤杨梅，与樽罍相间，足为奇观。妇女以簪髻上，丹实绿叶，繁丽可爱。又以雀眼竹筥盛贮为遗，道路相望不绝。”

《书房一角·杨梅》：“小时候常闻人说杨梅山，终未能一到……装篮馈遗，此风至今未泯，儿童最为欢喜，胜于送西瓜也。不佞去乡久，对于乡味无甚留恋，唯独杨梅觉得无可替代，每见草莓即洋莓上市，辄忆及之。杨梅生食固佳，浸烧酒中一日，啖之亦自有风味，浸久则味在酒中，即普通所谓杨梅烧，乃是酒而非果矣。”

《自己的园地·菱角》：“水红菱只可生食……形甚纤艳。”

《亦报》刊《甘蔗荸荠》：“若是问绍兴有什么好水果，其实也说不出来，不过那里的水果多而且质朴，换句话说就是平民的……我却是最感觉有味，因为那是代表土产品的，有如杜园瓜菜，所谓土膏露气尚未全失。”

丙二十·糕团

【原诗】 嘉湖细点旧名驰，不及糕团快朵颐。

艾饺印糕排满架，难忘最是炙麻糍。

【原注】 印糕方形，上印彩粉文字，故名。捣糯米饭，中裹豆沙或芝麻白糖馅，捏为扁圆形，曰麻糍，于鏊盘上炙食最佳，街头多有担卖者。

【笺释】 本首原为“果饵二”，今题作“糕团”。

未刊稿《再谈南北的点心》第六段云：“嘉湖细点这四个字，本是招牌和仿单上的口头禅……(起源)当为前明中叶，而地点则是东吴西浙，嘉兴湖州正是代表地方……明朝自永乐以来，政府虽是设在北京，但文化中心一直还是在江南一带，那里官绅富豪生活奢侈，茶食一类也就发达起来。”

同文第五段云：“茶食中有些东西，是小时候熟悉的……例如糖类的酥糖、麻片糖、寸金糖，片类的云片糕、椒桃片、松仁片，软糕类的松子糕、枣子糕、蜜仁糕、桔红糕等。此外有缠类，如松仁缠、核桃缠，乃是在干果上包糖，算是上品茶食，其实倒并不怎么好吃。”

《饭后随笔·点心与饭》：“我们乡下的点心大抵可以分作两类，一是干点心，在茶食店里所卖的是；二是湿点心，一切蒸制及有汤的东西，……汤圆、烧卖、花饺、馄饨、包子、各式面、藕粥等，有的家制，有的有专店，半干湿的糕和麻糍一类也就附在这里。”

集外文《绍兴的糕干》：“我所记得的却是糕团……所谓糕团是指‘湿’的一类，与嘉湖细点那些所谓‘干点心’有别。”除上文提到者外，主要便是诗中咏及的艾饺、印糕和麻糍了。

冲斋居士《越乡中馈录》：“艾饺，春令剪艾去心(味极苦)，洗净切碎，水煮一二沸，略洒石灰，则色绿。冷水一洗，挤干，去其苦味，拌入粳粉(掺糯粉)，入臼舂透，裹豆沙糖馅为饺,或拌为糕，隔水蒸食。”

范寅《越谚·饮食》：“(印糕)米粉为方形，上印彩粉文字，配馒头送喜寿礼。”这种糕当然寻常也是可以买得食的。

集外文《糯米食》：“我是喜欢糯米食的，虽然我们乡下没有糍粑，只有一种类似的东西叫麻糍。……糍粑乃是用米煮饭来舂，可以说是用糯米饭捣烂做成的。糍粑是整块的，吃法任便。麻糍原料相同，却做成一个个烧饼似的，中间加上一点馅，豆沙或是芝麻糖，这在我因为小时候的记忆觉得比较的更是好吃。”

《药味集·卖糖》：“卖糖者多在下午，竹笼中生火，上置熬盘，红糖和米粉为糕，切片炙之，每片一文，亦有麻糍，大呼曰麻糍荷炙糕……此种糕点来北京后便不能遇见，盖南方重米食，糕类以米粉为之，北方则几乎无一不面，情形自大不相同也。小时候吃的东西，味道不必甚佳，过后思量每多佳趣，往往不能忘记。不佞之记得糖与糕，亦正由此耳。”

丙二一·藕

【原诗】　漫夸风物到江乡，蒸藕包来荷叶香。
藕粥一瓯深紫色，略添甜味入饧糖。

【原注】　红糖俗名饧糖，读若琴，市语曰台青，盖因其出自台湾故欤。

【笺释】　本首原为“果饵三”。写藕之熟食，盖视藕为饵而非果矣，今题作“藕”。

蒸藕在北京又叫江米藕（江米即糯米）。张次溪《天桥志·天桥吃食》：“江米藕者，以江米入藕孔中蒸烂后，沿街叫卖。切成小片，蘸白糖而食之，售此者多清真教人。”

杨曼卿《天桥杂咏》有一首：“江米都填藕孔中，新蒸叫卖巷西东。切成片片珠嵌玉，甜烂相宜叟与童。”

冲斋居士《越乡中馈录》：“择老藕大而长束者刨皮洗净，着蒂切去一片（只一头），将淘过上白糯米灌入藕孔中，筑满，仍将藕蒂盖上，用竹签钉住……蒸至极烂……切片蘸糖食之。”

集外文《藕的吃法》：“（藕）还是熟吃觉得好。其一是藕粥与蒸藕，用糯米煮粥，加入藕去，同时也制成蒸藕了，因为藕有天然的空窍，中间也装好了糯米去，切成片时很是好看。其二是藕脯，实在只是糖煮藕罢了，把藕切为大小适宜的块，同红枣白果煮熟，加入红糖，这藕与汤都很好吃，乡下过年祭祖时必有此一品，为小儿辈所欢迎，还在鲞冻肉之上。其三是藕粉，全国通行，无须赘说。三者之中，藕脯纯是家常吃食，做法简单，也最实惠耐吃。藕粥在市面上只一个时候有卖，风味很好，却又是很普通的东西，从前只要几文钱就可吃一大碗，与荤粥、豆腐浆相差不远。藕粉我却不喜欢，吃时费事自是一个原因，此外则嫌它薄的不过瘾，厚了又不好吃，可以说是近于鸡肋吧。”

《饭后随笔·藕与莲花》：“藕的用处由我说来十九是在当水果吃，其一，乡下的切片生吃；其二，北京的配小菱角冰镇；其三，薄片糖醋拌；其四，煮藕粥藕脯，已近于点心，但总是甜的，也觉得相宜，似乎是它的本色。虽然有些地方做藕饼，仿佛是素的溜丸子之属，当作菜吃，未尝不别有风味，却是没有多少别的吃法，以菜论总是很有缺点的。擦汁取粉，西湖藕粉是颇有名的，这差不多有不成文律规定只宜甜吃。想来藕的本性与荸荠很有点相近，可以与甘蔗老头同煮，可以做糕，可以取粉，可以切片加入荤菜，如炒四宝内是一根台柱子，但压根儿还是水果，你没法子把他改变过来。”

《越乡中馈录》：“凡蒸藕、藕粥，必酌加碱水，否则不易煮烂。又藕粥用糯米，宜加饴糖，亦有微入红曲者。”

这便是“藕粥一瓯深紫色”的来历。

饧糖在长沙亦称“琴糖”，不叫红糖。它是一种用谷芽熬成的饴糖，且只有流质的才如此称。红糖则是甘蔗制成的没脱胶脱色的粗糖，本地并不出产，土法制成的只有成块成片的片糖和“白流糖”，连拌糖醋藕片都没有资格也。

丙二三一·夜糖

【原诗】　儿曹应得念文长，解道敲锣卖夜糖。
想见当年立门口，茄脯梅饼遍亲尝。

【原注】　小儿所食圆糖名为“夜糖”，不知何义，徐文长诗中已有之。以黑糖煮茄子晾使半干，曰茄脯，切细条卖之。梅饼如铜钱大而加厚，系以梅子煮熟，连核同甘草末捣碎，范成圆饼，每个售制钱一文。

【笺释】　本首原为“果饵四”，今题作“夜糖”。

《徐文长集》卷四《昙阳》之五：“何事移天竺，居然在太仓。善哉听白佛，梦已熟黄粱。托钵求朝饭，敲锣卖夜糖。……”

但“夜糖”这个名词，请问了上世纪三十年代至五十年代在绍兴出生的几位友人，都说不曾听到过，大约已经在现代口语中消失了。

《药味集·卖糖》：“绍兴如无夜糖，不知小人们当更如何寂寞，盖此与炙糕二者实是儿童的恩物，无论野孩子与大家子弟都是不可缺少者也。夜糖的名义不可解，其实只是圆形的硬糖，平常亦称圆眼糖，因形似龙眼故，亦有尖角者，则称粽子糖，共有红白黄三色，每粒价一钱……卖糖大率用担，但非是肩挑，实只一筐，俗名桥篮，上列木匣，分格盛糖……左臂操筐，俗语曰桥，虚左手持一小锣，右手执木片如笏状，击之声镗镗然，此即卖糖之信号也，小儿闻之，惊心动魄，殆不下于货郎之惊闺与唤娇娘焉。”

关于“惊闺”与“唤娇娘”，集外文《货郎担》云：“北京也有同样的职业，不过是用车推而不是用担了，所使用的响器也不一样，乃是有柄的一面小铜锣，绳系一小疙瘩，手一摇便发出声响。这有很漂亮的名称，叫作‘惊闺’，还叫作‘唤娇娘’，不过这是一是二，有点不大清楚了。”

其实“惊闺”与“唤娇娘”乃是两种不同的响器，区别原是很清楚的。《齐东野语》云：“用铁数片，长五寸许，阔二寸五分，如拍板样，磨镜匠手持作声，使传闺阁知之，名曰‘惊闺’。”《韵鹤轩杂著》云：“磨镜者所持铁片，曰‘惊闺’……卖闺房杂货者所摇，曰‘唤娇娘’。”这“唤娇娘”才是一种小铜锣，但形制却与卖夜糖用者不同，声音亦有异。

《卖糖》又云：“以沙糖煮茄子，略晾干，原以斤两计，卖糖人切为适当的长条，而不能无大小，小儿多较量择取之，是为茄脯。梅饼者，黄梅与甘草同煮，连核捣烂，范为饼如新铸一分铜币大，吮食之别有风味，可与青盐梅竞爽也。”

周建人《鲁迅故家的败落》介绍故家新台门的对面，有一屠家小店，“檐下横放一个铺板，陈列十几堆炒豆炒花生之类，每堆一文钱。还有一个长方木盒，上面盖着玻璃，盒中分几格，每格放着圆眼糖、粽子糖、茄脯、梅饼，也是一文一件”。

周作人“想见当年立门口，茄脯梅饼遍亲尝”之处，大约就是这屠家小店，周建人肯定见过他在那里“遍亲尝”的吧。

丙二三·石花

【原诗】 一盏盛来琥珀光，石花风味最清凉。
新煎洋菜晶莹甚，独缺稀微海水香。

【原注】 石花熟撋，拣去贝壳沙石，洗净煮汁，用井水镇使冻结，加糖醋食之，为夏日消暑佳品。唯不易消化，多致胃病，后乃以洋菜代之，更为纯良，而无复有海草香气，遂觉索然寡味矣。

【笺释】 本首原为“果饵五”，改题作“石花”。

石花菜是一种海藻，属红藻门，学名Gelidium amansii。中国对它的记述，似始于东晋郭璞，《江赋》云“玉珧海月，土肉石华”，介绍了四种供食用的海产。《尔雅·释鱼》云“蜃小者珧”，今称瑶柱。《临海水土物志》云“海月大如镜，白色，正圆，常死海边，其柱如搔头大，中食”，今称窗贝。《文选》李善注云：“土肉正黑，如小儿臂大，长五寸，中有腹，无口目，有三十足，炙食”，今称海参。石华即石花菜。

李时珍《本草纲目》中亦有“石华”，指的则是石钟乳滴散凝成物和珊瑚的一种，这些碳酸钙和石灰质的东西，都是不能食用的。

屈大均《广东新语》：“海菜产琼之会同。岁三月，菜厂主人置酒，广集菜丁，使穿衣屦入海采取。海有研石广数里，横亘海底，海菜其莓苔也。白者为琼枝，红者为草珊瑚。泡以沸汤，沃以姜椒酒醋，味甚脆美，一名石花。以作海藻酒，治瘿气；以作琥珀糖，去上焦浮热。”

诗云：“一盏盛来琥珀光”。屈大均亦云“以作琥珀糖”，都是因为海藻煮汁呈琥珀色的缘故。

原注云食石花“多致胃病”，冲斋居士《越乡中馈录》：“南货铺买石花草(亦名朱毛菜)，用木榧微舂，去其杂屑，下镬水煮。水沸一刻，加米醋一盅，以布袋滤去渣滓，将石花水置瓦缸头，外以脚盆储井水浸之，半日后即凝结成块，可加糖醋拌食矣。唯性最寒凉，多食致病。”

《鲁迅小说里的人物·剪绒花》：“顺姑的真名字已记不清楚……她的病并不是肺结核，实在乃由于伤寒初愈，不小心吃了凉粉石花，以致肠出血而死。”正因为吃石花有这样的副作用，恐怕便是它不得不逐渐让位于洋菜的一个缘故。

洋菜即冻粉，又叫琼脂(枝)，其实就是石花菜的制成品，因为经过提炼，致病的危险减少，但是“琥珀光”和“海草香”也就没有了。它最初全靠进口，故冠以“洋”字。庚子年日记七月初二日记：“下午食洋菜石花二盏。”索然寡味的印象大概就是从那时留下来的。

如今石花菜已经退出食品市场，琼脂却仍为冰淇淋、糕点、沙拉和鱼肉类食品罐头不可或缺的添加剂。它无色无气味，易溶于沸水，三十七度时即凝成胶冻，并能吸收大量水分，故无别种材料可以取代。

丙二四·玉竹甘草

【原诗】　居然尝药学神农，莫笑贪馋下苦功。
玉竹香甜原好吃，更将甘草润喉咙。

【原注】　药物中甘草之味人多知者。熟玉竹之肥壮者，食之亦甚腴美，可当点心。

【笺释】　本首原为“果饵六”，今题“玉竹甘草”。

玉竹即萎蕤，百合科多年生草本植物，地下茎可入药，性平，味甘，主治虚热燥咳。甘草为豆科多年生草本植物，以根状茎入药，性平，味甘，能泻火解毒，调和诸药。

它们本来只是两味药材，只因为有甜味，便被儿时的周作人当成了“果饵”，则当时零食之不易得，以及周家之用药已成常态，亦可想见。

看《知堂回想录》十至十二节可以知道，周作人父亲的病始发于甲午乙未间，去世于丙戌九月初六日。在这段时间内，医生照例是隔日一诊，要到药店去买药。集外文《中外补药》：“小孩们平时爱替大人放药料入罐，一包包的现出各色各样的草根树皮来，补药种类多，所以更是好玩，记得认识的大抵只有熟地、玉竹及杜仲。”

《鲁迅的故家·桐生》：“我们小时候买玉竹来当点心吃，到泰山堂去买。”周建人《鲁迅故家的败落》也说：“我们到药店去买玉竹，一种黑色长条形的东西，嚼起来有甜味，把它当零食吃。”拿了钱到药店去买药材当零食，何不就在家门口买茄脯梅饼吃呢？似乎不好理解。估计可能是父亲的病隔日一诊，反正得到药店里去，一起付费也更为方便吧。

司马贞所补的《史记·三皇本纪》云：“炎帝神农氏……于是作蜡祭，以赭鞭鞭草木，始尝百草，始有医药。”这个神农与医药的传说，周作人在论及传统文化思想时，一直予以相当的尊重。《立春以前·医师礼赞》云：“（医疗）是人类文化之一特色，虽然与梃刃同是发明，而意义迥殊，中国称蚩尤作五兵，而神农尝药辨性为人皇，可以见矣……假如人类要找一点足以自夸的文明证据，大约只可求之于这方面吧。”

《药堂语录·序》：“数年前作《药草堂记》，曾说明未敢妄拟神农，其意亦只是摊数种草药于案上，如草头郎中之所为，可是摆列点药就是了，针砭却是不来的，这也值得说明。我于本草颇有兴趣，所以知道些药料……做在糖里的肉桂薄荷不必说了，小时候还买生药来嚼了便吃，顶平常的是玉竹与甘草，这类味道至今尚未忘却……吾乡人家夏日常用金银花夏枯草二味煎汤代茶，云可清暑，此正是常谈的本色，其或庶几近之。”

以药材当点心的经验我从未有过，丰子恺插图中的宝塔糖却是吃过的，此外还有健脾糕之类的“药糕”，但都觉得并不好吃，因为它们总是药，是大人拿来命令自己吃下去的，即使本有甜味，被迫接受灌输，也就绝无兴趣了。

丙编附记

【原文】　今春多雨，惊蛰以来十日不得一日晴，日唯阅《说文段氏注》以消遣。偶应友人之属，录旧作儿童杂事诗，觉得尚可补充，因就生活诗部分酌量增加，日写数章，续得二十四首，乃定为丙编。旧日所写，多以岁时为准，今则以名物分类。此种材料尚极夥多，可以入录。唯写为韵语，虽是游戏之作，亦须兴会乃能成就，丁编以下，倘有机缘，当俟诸异日。三十七年三月二十日雨中记。

【笺释】　附记云“虽是游戏之作，亦须兴会乃能成就”，这句话在《跋文》中由东郭生用“做诗很苦，情动于中而形于言……”一节议论作了补充和发挥，读者可以参看。

附记末署“三十七年三月二十日雨中记”，民国三十七年即一九四八年，那时作者还被囚禁在南京老虎桥监狱里。“丁编以下，倘有机缘，当俟诸异日”，只是当时的一种希望。但这种希望好像并未成为事实，“丁编以下”当然也就没有面世的可能了。

附记中说“偶应友人之属，录旧作儿童杂事诗”，可见他抄录这些诗给友人看，是早就开始并且一直都在做着的事，这也是作品无法出版时没有办法的一种办法吧。

儿童杂事诗跋

【原文】　东郭生著有儿童诗若干首预备托《亦报》发表，抄了先给孺牛、齐甘诸公一看，齐公觉得儿戏部分遗漏太多，开出一个单子来主张添补，孺牛则以为过年这时节还有许多事可记，特别有趣味的是看灯头，此外又举出一首儿歌云：

二十夜，连夜夜，
点得红灯做绣鞋，
绣鞋做起拜爷爷。

此歌本身很有诗意，遗漏了也的确是可惜。我也记起几首唐人的小诗，都可以补入儿童故事诗里。如云：

幼女才六岁，未知巧与拙。向夜东堂前，
学人拜新月。
小娃撑小艇，偷采白莲回。未解藏踪迹，
浮萍一道开。
牧童见客拜，山果怀中落。昼日驱牛归，
前溪风雨恶。

但是东郭生有他自己的辩解，他说做诗很苦，情动于中而形于言，永言嗟叹，以至手舞足蹈，有如擦火柴，必须发热到某程度，才会发出火焰来，可是这一来火柴也烧光了。古来诗人多苦吟，是很不卫生的事，我们看画像上刘随州、柳柳州等都很瘦，李长吉、贾浪仙更不必说了。好吃猪肉很胖很喜欢睡觉的韩退之他本是官僚，同样好吃猪肉的苏东坡也有点胖，他的诗算不算得怎么好，应当别论。儿童诗近于打油，可是打油并不一定容易，而且同样要有兴趣才行，不然也做不出来。没有诗情诗兴而硬要写，这情形似乎有点像吃春药。我便来折衷的说，有这些材料，用散文写下来也好，文化建设的高潮中，民俗学自然也占一个地位，这种资料都是必要的而且有价值的。

【笺释】 跋文原题《儿童诗与补遗》，是作为《饭后随笔》之一，刊登在一九五〇年三月十日上海《亦报》上的。最近发现了手稿，上题“儿童杂事诗代跋”，遂将其作为跋文，刊载于此。《饭后随笔》有岳麓书社版行世。

“东郭生”为《儿童杂事诗》在《亦报》发表时所用笔名。跋文说孺牛、齐甘主张添补，而“东郭生有他自己的辩解”，接着“我便来折衷的说”，好像“东郭生”和“我”是两个人似的，其实乃是行文中故弄的狡狯。

“孺牛”为一九四九年周作人自南京出狱后居留上海时来往较多的绍兴同乡陶亢德，初版笺释为尤炳圻是错的，“齐甘”则是周的另一同乡徐淦的谐音。

文内所引唐人小诗“未解藏踪迹”句中，手稿“踪迹”笔误成了“踪踪”，已予改正。

周丰一跋

儿童杂事诗七十二首，系先父所写，丰子恺先生为作插图，尤可宝贵。锺叔河先生三十年前即曾与先父有书信交往，结下文字之缘，为杂事诗作笺释准备已久，对诗中涉及的旧时风俗名物，不辞辛劳，多方考究。现笺释已经脱稿，即将付梓，不仅叔河先生夙愿得偿，民俗学和儿童学亦从此增加一可靠的研究资料，至可喜也。

一九九〇年五月，周丰一。

丰一吟跋

《儿童杂事诗》作者是我的父执辈，插图者是我父亲。一位是大手笔，一位是名画家，且擅长儿童画，两位长者的合作，真可谓珠联璧合。但明珠埋没，美玉璞藏，幸有锺叔河先生珍重护持，又苦心孤诣，详加笺释，交付出版，以飨读者，实在功德无量。我是后辈，不敢为跋，谨借此一角之地向锺先生致以衷心的感谢。

丰一吟，一九九〇年六月于上海。

笺释后记

《儿童杂事诗》七十二首，从一九五〇年二月二十三日开始在上海《亦报》上刊载，到五月六日刊完。丰子恺为其中的六十九首画了插图，只有乙之二、五、七三首，当天注明了“此诗无画”或“今日无图”，一九九一年笺释初版时，便请毕克官补画了这三幅。至于乙之二一“俞理初”附一首咏李卓吾，本“不涉儿童事”，原来便没有插图，也就不再补画了。

这七十二首诗，分为甲、乙、丙三编，分咏儿童生活和儿童故事，原来有的一题一诗，也有的一题数诗。一题一诗的三十一首，如甲之四“上元”，乙之一“老子”等，都保留了原题。一题多诗的四十一首，如“新年”有甲之一、二、三共三首，“果饵”有丙十九、二十、二一、二二、二三、二四共六首，便都分别标题，甲之一至三题作“新年拜岁”“压岁钱”和“下乡作客”，丙十九至二四则题作“水果”“糕团”“藕”“夜糖”和“玉竹甘草”了。这样，七十二首诗，每一首诗都有了一个切合内容的题目，不必再称其二、其三、其四……了。读者在阅读和检索时，可能会觉得比较方便一点。

我向不主张用抄字典辞书的方法为前人诗文作注，反对代替读者查工具书。以旧时读书人眼光看，这些“笔画代口耳”的牛山体诗实在也无须作注。但杂事诗所咏者不外岁时、名物、儿童游戏，一句话叫做民间风俗，又都是清末戊戌时候的，去今一百馀年，世事变化甚多，人们已少了解；而它们在民俗学和文化史的意义上，又都成了有价值的资料，对于研究儿童教育和儿童文学者来说，尤其如此。周作人自己在《代跋》中说过，这方面的材料很多，未必都能做成诗，“用散文写下来也好，文化建设的高潮中，民俗学自然也占一个地位，这种资料都是必要的而且有价值的”。笺释即特别注意这个方面，首先从周氏本人一生“用散文写下来”的数百万言中找材料，并努力旁及，地方文献、笔记杂书、故老言谈、友朋通信，都在采辑之列。凡引周氏本人的著作，即不再署名，以免词费。他人作品，像观鱼《回忆鲁迅房族三十五年间（一九〇二至一九三六）的演变附录绍兴的风俗习尚》这样的长名，又一再引用，也简称为《绍兴的风俗习尚》了。

笺释所据写本末记“一九六六年八月十四日重录一过”，这时“文化大革命”已经开始。查周作人日记，七月十日“作致行严函，此亦溺人之藁而已，希望虽亦甚微，姑且一试耳”。行严即章士钊，北洋时期当过教育总长，国民党时在上海依杜月笙，这时为中央文史馆长。“溺人之藁”译成白话，便是“快要淹死者的救命稻草”。周作人在“五四”时尤其是“女师大事件”中多次写文章批评过章士钊，这时却不得不向他求救，明知希望甚微，仍“姑且一试”，真到了病笃乱投医的程度。

章士钊为毛泽东故人，“文革”中被“重点保护”着。对于周的求救，他的态度又如何呢？周作人七月十八日记云：“王益知（章之秘书）君来，代行严致意，甚可感荷。”可能章士钊对周也还表示了一定程度的关心。于是周作人八月十三日记“抄录儿童杂事诗，昨今得甲乙两编”；十四日又记云“上午抄儿童诗丙编，至下午了”，与题记正合。

抄录的这部诗稿，是不是准备通过王益知送给章士钊，或者再通过章士钊送给什么人去的呢？周作人的日记中并未留下记载，也就无法知道了。

七月十八日王益知来后的一个月中，周作人一直在苦苦地希望着。日记有云：“此一个月不作一事，而辛苦实甚……可谓毕生最苦之境矣。行严秘书王君曾云，当再次来访，因随时计其到来，作种种妄想，窃自思惟，亦不禁悯笑也。”八月二十一日记云：“作致王益知信，且看答复如何。”至二十三日仍未见有答复，只记了“上午阅《毛泽东论文艺》”。日记即止于此日，距重录《儿童杂事诗》仅九日，盖即其绝笔矣。

一九九〇年七月始作，二〇一六年四月改定，锺叔河时年八十五岁，此应是最后一次的修改了。

【附注】 《笺释》因收入《锺叔河集》，校阅时又作了不少修订，《立夏》《麻花粥》《滚灯》《水牛儿》《河水鬼》《糕团》等节，甚至重新改写过了，特此说明。

二〇二一年五月一日，锺叔河志于念楼，时年九十岁。

[附] 儿童杂事诗手迹二种

儿童杂事诗手迹二种，一写成于一九五〇年二月八日，一写成于一九六六年八月十四日，均据原件原色影印。读时请翻至本书最后一页，按直行阅读习惯，由右至左进行。

图书在版编目(CIP)数据

儿童杂事诗笺释/锺叔河著．—长沙：岳麓书社，2021.4

ISBN 978-7-5538-1398-1

Ⅰ.①儿…　Ⅱ.①锺…　Ⅲ.①儿童诗歌—诗集—中国—当代

Ⅳ.①I287.2

中国版本图书馆CIP数据核字(2020)第190950号

ERTONG ZASHISHI JIANSHI

儿童杂事诗笺释

作　　者：锺叔河

责任编辑：李缅燕

特约编辑：王　平

责任校对：舒　舍

封面设计：格局创界文化传播

封面摄影：李　锋

插图制作：唐　巍

图文排版：刘晓霞

岳麓书社出版发行

地址：湖南省长沙市爱民路47号

直销电话：0731-88804152　0731-88885616

邮编：410006

版次：2021年4月第1版

印次：2021年4月第1次印刷

开本：889mm×1194mm　1/32

印张：12.75

字数：262千字

印数：1—3000

ISBN 978-7-5538-1398-1

定价：138.00元

承印：雅昌文化(集团)有限公司

如有印装质量问题，请与本社印务部联系

电话：0731-88884129

[附] 儿童杂事诗手迹二种

一九五〇年写本

儿童杂事诗

二〇二〇年影印

《儿童杂事诗》作于一九四七至一九四八年南京狱中，一九五〇年二月八日在北京抄就，寄往上海，《亦报》从二月二十三日起刊出（刊出时序文和部分小注有删改），五月六日刊完。此系现存全诗最早的抄本。

序

今年六月偶读英國利雅(Lear)的诙谐诗、妙语天成、不可方物、略師其意、寫兒戲趣韵诗、前後得十數首、亦終不能成就。唯其中有三數章、是别一路道、似尚可存留、即本編中之甲十及十九乙三是也。因就其内容、分别為兒童生活兒童故事兩類、繼續寫了十日、共得四十八首、分編甲乙、總名之曰兒童雜事诗。我本不會做诗、但有時候也借用這个形式、

觉得這樣说法别有一種味道、其本意则与用散文無殊、無非祇是想表现出一点意思罷了。寒山曾说過、分明是说话、又道我吟诗。我這一卷所谓诗实在乃只是一篇関於兒童的论文的变相、不過现在觉得不想写散文、所以用了七言四句的形式、反正這形式並無什麽関係、就是我的意思能否多少傳達也没有関係。我还深信道谊之须事功化。古人云、為治不在多言、但力行何如耳。我輩的论

或诗亦只是道谊之空言，于事实何补也。三十六年八月五日，知堂记。

兒童襍事诗

甲编　兒童生活诗

一　新年

新年拜歲換新衣、白襪花鞋樣〻齐。小辮朝天紅線紮、分明一隻小荸荠。

荸俗語讀如蒲、國語讀作毘、亦是平声。

二

昨夜新收厯歲錢、板方一百枕頭邊。大街玩具商量買、先要金魚三腳蟾。

大錢方整者名白板方。金魚等皆用火漆所製、每枚值三五文。

三

下鄉作客拜新年、半日猴兒著小冠。待得歸舟双艣動、打開帽盒吃桃纏。

新年客去例送点心一盒、置舟中、紙盒圓扁形

如舊日帽盒、俗即以紙帽盒稱之。合錦点心中以核桃纓松仁纓为上品、餘亦祇是雲片糕炒米糕之類而已。

四　上元

上元設供蠟高燒、堂屋光明勝早朝。買得雞燈無用處、廚房去看煮元宵。

五　風箏

鮎魚、飄蕩日當中、蝴蝶翻飛上碧空。放鷂須防寒

倉遑，甚數遇着亂頭風。
鮎魚蝴蝶皆風箏名，俗稱曰鷂，因風箏作鷂子形者多也。

六　上学

龍燈蟹鷂去迢迢，關進書房耐寂寥。盼到清明三月節，上墳船裡看姣姣。
兒童歌云，正月燈，二月鷂，三月上墳船裡看姣姣。

七　掃墓

掃墓歸來日未遲、南门门外雨如絲。燒鵝吃罷閑無事、繞遍墳頭數百獅。

百獅墳頭在南门外、掃墓時多就其地泊舟會飲、不知是誰家墳墓、石工壯麗、相傳云共鑿有百獅、但細数之亦才有五六十耳。

八

牛郎花好充魚毒、艸紫苗鮮作夕供。最是兒童知

采擇、船頭滿載映山紅。

牛郎花色黄、即羊躑躅、云羊食之中毒、或曰其根可以毒魚。艸紫即紫雲英、農夫多植以肥田、其嫩葉可瀹食。杜鵑花最多、遍山皆是、俗名映山紅、小兒掇花瓣咀嚼之、有酸味可口。

九

跳山埽墓比春游、歲歲乘肩不自由。喜得居然称長大、今年獨自坐山兜。

跳山在會稽、即漢大吉摩崖所在地。兜子轎為山行乘物、兩竹槓間縣片板作座位、繩繫木棍為踏鐙、二人舁之甚輕便。小兒出行、多騎傭人肩上、姜白石詞、只有乘肩小女隨、可知此風在南宋時已有之矣。

十　書房

書房小鬼忒頑皮、掃帚拖來當馬騎。額角撞墻梅子大、揮鞭依舊笑嘻嘻。

十一

帶得茶壺上學堂、生書未熟水精光。後園往復無停趾、底事今朝小便長。

十二 立夏

新裝扛秤好稱人、卻喜今年重幾斤。吃過一株健腳筍、更加蹦跳有精神。

立夏日稱人、以防蛀夏。是日以淡筍納柴火中燒熟、去殼食之、一株名曰健腳筍。

十三　端午

端午須當吃五黃、枇杷石首得新嘗。黃瓜好配黃梅子、更有雄黃燒酒香。

十四

蒲劍艾旗忙半日、分來香袋与香球。雄黃額上書王字、喜聴人称老虎頭。

十五　夏日食物

早市離家二里遙、攜籃趕上大雲桥。今朝不吃麻

花粥、荷葉包來茯苓糕。

苓俗语讀作上声、但單呼茯苓則又仍作平声讀也。

十六

夕陽在樹時加酉、潑水庭前作晚涼。板桌移來先吃飯、中间蝦殼笋頭湯。

十七　蚊烟

薄暮蚊雷震耳聾、火攻不用用烟攻。脚炉提起團

團坐燒看塔香路路通。

水鄉多蚊，白晝點長條之蚊出藥、黃昏則於銅火爐中燃茅艸蚕豆莢或路路通發烟以袪之、小兒喜司其事、以長繩繫於爐之提梁、挈之巡行各室、路路通即杉樹子、狀如栗房而多孔、焚之微有香氣。

十八　瓜

買得烏皮香撲鼻、蒲瓜鬆脆亦堪誇。負他沙地般

勤意、鷄吃噴香呃殻瓜。

烏皮香者香瓜之一種、皮青黑、肉微作碧色、香味勝常瓜。蒲瓜柔脆多水分、但不甜耳。冷飯頭瓜一名呃殻瓜、以其綿軟、食之易噎、但可以飽、有如冷飯、沙地種瓜人常用作礼物。

十九　夏日急雨

一霎狂風急雨催、太陽赶入黑雲堆。窺窗小臉驚相问、可是夜叉扛海来。

夏日暴雨將至風起雲涌天黑如墨俗語輒曰夜叉扛海来。

二十　蒼蝇

瓜皮满地綠沈沈、桂樹中庭有午陰。躡足低頭忙奔走、捉来幾許活蒼蝇。

二一　菱

婦孺都知駝背白、雷門名物至今稱。新鮮酒醉皆佳品、不及尋常煮大菱。

菱角通称大菱、駝背白为四角菱之一種、色青白而拱背、出雷门坂一带。

二二　蟋蟀

啼徹檐头纺績娘、凉風乍起夜初長。関心蛐蛐階前叫、明日携籠灌破墙。

二三　中元

中元鬼節款精靈、蓮葉蓮華幻作燈。明日雖扔今日點、滿街望去碧澄澄。

北方童謠蓮花燈今兒點明兒扔。

二四 中秋

紅燭高燒供月華、如盤月餅配南瓜。雖然慣吃紅綾餅、卻愛神前素夾沙。

中秋夜祀月以素月餅、大者徑尺許、与木盤等大。

甲偏後记

兒童生活诗实亦即是竹枝词、须有歲时及地方作背景、今就平生最熟习的民俗中取材、自多偏於越地、亦正是不得已也。

兒童雜事诗

乙编　兒童故事诗

一　老子

當年李耳老而孩、奇事差堪比老萊。想见手持搖咕咚、白頭臥地哭咳咳。

搖咕咚、玩具小鼗鼓也、咕咚讀若骨棟、二十四孝圖常畫老萊子手持此鼓。

二　晋惠帝

满野蛙声叫咯吱、累他鄭重问官私。童心自有天真處、莫道官家便是痴。

虫鳥啼声有时甚为迫切、蛙为尤甚、真令人有所为何来之感、但俗或不覺耳。案惠帝已非童年、亦但取其有孩子氣也。

三　趙伯公

小孩淘氣平常有、唯獨趙家最出奇。祖父肚臍種

李子、戲手急殺老頭兒。

太平御覽引笑林、趙伯公體肥大、夏月醉臥、孫兒以李子納其臍中、趙未之知、後汁出則大驚恐、謂腸爛將死、及李核出、乃始釋然。

四 陶淵明

但覓栗黎、殊可念、不好紙筆亦尋常。陶公此語慈祥甚、責子詩成進一觴。

黄山谷跋責子詩云、觀靖節此詩、想見其人慈

祥戲讙可觀也。

五

離家三月復歸來、三徑如何便就荒。稚子候門款不見、菊花叢裡捉迷藏。

六　杜子美

杜陵野老有情痴、淒絕羌邨一代詩。偶遂生還還復去、膝前何以慰嬌兒。

子美羌邨云、世亂遭飄蕩、生還偶然遂、又其二

云、娇儿不離膝、畏我卻復去。

七

诗人尚識儿煩惱、痴女痴儿不太懷。稚子恒飢誰忍得、凄凉颜色迫人来。

彭衙行云、痴女飢咬我、啼畏虎狼聞。百憂集行云、痴儿未知父子礼、叫怒索飯啼门東。狂夫第三聯云、恒飢稚子色凄凉。此在他人诗中、皆不能見到者也。

八

鄉间想無雜货店、稚子敲針作釣鉤。但有直鉤無倒刺、沙灘只好釣泥鰌。

案泥鰌本亦不易釣、姑趁韵耳。水边有一種小魚、伏泥上不動、易捕取、俗名步泥拖、不知其雅名云何也。

九　李太白

太白兒時不識月、道是一張白玉盤。無怪世人疑

胡種、蒲萄美酒吃西餐。

太白古朗月行云、小時不识月、呼作白玉盤。

今人或有以太白为胡人者。

十　贺季真

故里歸来轉陌生、兒童好客競相迎。鄉音未改雖

家久、贏得旁人说拗声。

越人称外鄉語皆曰拗声。

十一　杜牧之

人生未老莫還鄉、垂老還鄉更斷腸。試問共誰爭歲月、兒童笑指鬢如霜。

未老莫還鄉、韋莊詞句也。牧之歸家詩云、共誰爭歲月、贏得鬢如絲。

十二　陸放翁

阿哥寫字如曲蟺、阿弟說話像黃鶯。鶯越中俗語讀如盎平声、孩兒嬌小嗔不得、浣壁同時復畫窗。

放翁喜小兒輩到行在詩云、阿囡學書如蚓曲、

阿斋学语莺啭木、画窗泥壁涂忍嗔、啼呼也复可怜人。杭州人称小儿曰孩儿、读如茅、浙中他处无此语、或是临安俗语之留遗耶。

十三　姜白石

纵赏元宵逐队行、白头居士迹闲身。怜他小女乘肩看、双髻丫叉剧可人。

白石观灯词云、白头居士无呵殿、只有乘肩小女随。

十四 辛稼軒

幼安豪氣傾儕輩，卻有同情念小童。應是貪饞有同意、點頭默看剝蓮蓬。

稼軒詞云、大兒鋤豆溪東、中兒正織雞籠、最喜小兒無賴、溪頭看剝蓮蓬。

十五 王季重

買得泥人買紙雞、蘭陵面具手親持。謔庵畢竟多情味、多買刀槍哄小兒。

王季重游慧锡两山记云、买泥人、买纸鷄、买蔺陵西县、买小刀戟、以贻儿輩。

十六　清顺治帝

净得清華六品官、居然学士出寒门。胡雛亦自知风趣、畫出騎驢傳狀元。

清顺治幼年即位、为聊城傅以漸畫狀元歸去驢如飛圖。

十七　翟晴江

不攻異端衛聖道、但嫌炙頂爇香疤。手攜三尺齊眉棍、赶打游僧秃腦瓜。

事見梁山舟所作傳中。

十八　高南阜

膠東名宿高南阜、文采風流自有真。寫得小娃詩十首、左家情趣有傳人。

詩見集中、有詠女兒嬉戲如猫錦兒諸姑姑各題。

十九 鄭板橋

门前排坐喜新晴、待泥家人说古今。獨爱锄禾日当午、手分炒豆教歌吟。

板橋家書、以鋤禾日當午二诗教小兒、於排坐吃炒豆時唱之。

二十 陳授衣

绝爱诗人陳授衣、善言抛堶折花枝。泥婴面具寻常見、喜诵田家襍興诗。

陳授衣詩見韓江雅集中、帶得泥嬰面具回、闵廉風向、亦是田家雜興詩之一。

二一　俞理初

最喜龜堂自教兒、本來嚴父止於慈。高風傳述多天趣、正是人間好父師。

俞理初著有陸放翁教子法、嚴父母義諸文、收在癸巳存稿中。戴醇士記其言行、見習苦齋筆記。

论人卓老有同志、说妬周婆多怨词。幸喜未逢張问達、不曾断送老头皮。

張问達即弹劾李卓吾之御史。案此诗不涉儿童事、因關係俞君、附记於此。

二　王菉友

不教儿童嚼木札、故将文字示幺儿。古今多少经生辈、惭愧鄉寧学老師。

王菉友著教童子法及文字蒙求、皆嘉孺子之

事也。案玉君爲鄉寧知縣、此云学老師、误也、亦不復改作。

二三 凱樂而

绝世天真愛麗思、夢中境界太離奇。红楼亦有聪明女、不見中原凱樂而。

愛麗思漫游奇境記、英國凱樂而著、趙元任有北京话译本。

二四 薩洛延

一卷空靈寫意诗、人间喜劇劇堪悲。街頭冒險多憂樂、我愛童兒由利斯。

人间的喜劇、美國薩洛延著、有柳無垢譯本、節去三分之一、不完全、可惜也。徐礼庭新譯全本、曾見其原稿、更流暢可讀、併可具見作者意指、但未知能出版否耳。

乙編後記

大暑節後、中夜聞蛙声不寐、偶就文史中所記涉及小兒事、戲作數詩、後復賡續損益之、共得二十四章。左家嬌女事、珠玉在前、未敢弄拙、雖頗自幸、亦殊以為憾事也。七月三十一日。

兒童雜事詩

丙編　兒童生活詩補

一　花紙

兒女英雄滿壁排、攤頭花紙費衡裁。大廚美女多嬌嫵、不及橫張八大鎚。

直幅美女圖、用以貼衣廚門扇上者、名曰大廚美女。八大鎚畫戲裝武士數人持鎚、大小式

樣不一、多係横張、男孩每喜購之。

二

老鼠今朝也做親、燈籠火把鬧盈门。新娘照例红衣袴、翹起胡须十許根。

老鼠成親花紙、儀仗輿從悉如人间世。

三

滚鐙身手好男兒、畫出英雄氣逼时。其笑闺中甘屈膝、陳風古有怕婆诗。

花纸有滚燈者、不详其本事、畫作男子伏地、頭顶燭臺、女人著红抹胸戟手指麾。诗经中彼澤之陂一篇、畢默人说是陳人怕妇诗、见耶著诗切中。

四 故事

曼倩诙谐有嗣響、诺皋神異喜重聽。大頭天话更番说、最爱捕鱼十弟兄。

为儿童说故事、多奇诡荒唐、称曰大頭天话、即

今所謂童話也。十兄弟均奇人、有長脚潤嘴大眼等名、長脚入海捕魚、潤嘴一嘗而盡、大眼泣下、遂成洪水、乃悉被沖去云。

五

老虎無端作外婆、大囡可奈阿三何。天殺熱雨從頭降、拽下猴兒着地拖。

老虎外婆为最普通的童話、云老虎幻为外婆、潜入人家、小女为所啖、大女伪言如廁、登樹逃

匿。弔不能上、乃往召猴來、猴以索套着頸間、逕上樹去、女惶迫遽溺著猴頸上、猴大呼熱、熱、乞悞聽為拽、即拽索急走、及後停步審視、則猴已被勒而死矣。俗呼猴子曰阿三。

六

幻想山居亦大奇、相從赤豹与文狸。牀頭話久渾忘睡、一任檐前拙鳥飛。

空想神異境界、互相告語、每至忘寢。兒童遲

睡、大人輒警告之曰、拙鳥飛過了、謂過此不睡、將轉成拙笨也。拙鳥是一種空想的怪鳥、或只是鳥之拙者、故飛遲歸晚亦未可知、但味當時語氣、則似以前説為近耳。

七 歌謠

夏夜星光特地明、兒歌啁哳劃堪聽。爬墻蟯螘尋常有、踏殺綿羊出事情。

兒歌一顆星最通行、前後迹韻接續而成、絕無

情理、而轉换迅速、深惬童心。未白、蛇螘會爬墙、腳殺兩隻大綿羊、末句有各種異說、此为其雅馴者也。

八

階前喜見火螢虫、拍手齊歌夜夜紅。葉底點燈光碧綠、青燈有味此時同。

兒歌云、火螢虫、夜夜紅。

九

捉得蝸牛叫水牛、低吟尔汝意绸缪。上街买得烧羊肉、犄角先伸好出头。

北方儿歌水牛水牛、先出犄角後出头、又云、给你买的烧肝儿烧羊肉嚐。北京谓角曰犄角、犄读如稽。

十　玩具

门前迎會閙哄〻、要货年〻樣式同。买得纸鸡吹嘟〻、木头門兜竹蟠龍。

城中神佛按時出巡、俗称迎會、多有街賣玩具者、寧極質樸、以紙片泥土及羽毛為鷄形、中有竹叶子吹之有声、名曰吹嘟嘟、大抵只值一錢一个。

十一

南鎮歸來謁禹陵、金階百步上層層。手持木盌長刀戟、大殿來聽蝙蝠鳴。

南鎮即會稽山神廟、有碑曰天南第一鎮、春日

香火極盛。禹廟殿陛甚高、有數十級、俗名百步金階。儀門內兩側皆玩具攤、貨木製盤盌刀槍。殿上多蝙蝠、晝夜鳴叫不息、或曰亦棲於禹像耳中、不知其審、想亦當有之也。

十二　虫鳥

胡蝶黃蜂飛滿園、南瓜如豆菜花繁。秋虫未見園林寂、深草叢中捉織官。

織官狀如叫蟈蟈、而小、色碧綠可愛、未曾聞其

鳴声、小兒以為是络緯之兒、蓋非其实也。

十三

辣茄蓬裡聽油蛉、小罩捫来掌上擎。蹩兒長须红项颈、居然名贵過金鈴。

油蛉状如金鈴子而差狭長、色黑、鳴声瞿瞿、低細耐聽、以须長頸赤者為良、云寿命更長。畜之者以明角為籠、綵線结络、寒天縣着衣衿内、可以經冬、但入春以後便难持久、或有養至清

明節者、則绝無而僅有矣。

十四

喜得尊稱績縷婆、灰黄衣著見調和。淡花摘得供朝食、好得南瓜結實多。

小兒呼絡緯為績縷婆〻、縷讀如國音緣、多罷壽之、摘南瓜莖淡花為食料、即雄蕊也。

十五

風舂雨碓亂紛飛、着識微虫叫蠁斯。揭起醋瓶群

飛出、雅名学得是醯鷄。
蠁斯即蠛蠓也、亦以称醯鷄、陸農師埤雅已如
此説、唯郝蘭皋作爾雅義疏以為非是。

十六

姑惡飛鳴繞茻烟、春宵淒寂不成眠。童心不識歡
情薄、聽到啼声总可憐。
越係水鄉、多姑惡鳥、夜半聞啼声甚悽婉。姑
惡飛鳴繞暮烟、朱竹垞句。東風惡、歡情薄、见

陸放翁釵頭鳳詞。

十七　鬼物

山魈獨脚疑錢瘧、罔兩長軀儼阿獃。最怕橋頭河水鬼、播錢游戲等人来。

溺鬼俗称河水鬼、云状如小兒、常群聚水边、擲錢为戲、小兒通常称为摃銅錢者是也。

十八

目連大戲看連場、扮出强梁有五傷。小鬼鬼王都

看厭賞心只有活無常。

大戲及目連中演活無常均極滑稽之趣、即迎會時亦如此、故小兒甚喜之。

十九　果餌

荸薺甘蔗一筐盛、梅子櫻桃赤間青。更有楊梅誇紫艷、輸它嬌美水紅菱。

二十

嘉湖細點舊名馳、不及糕團快朵頤。艾餃印餻排

滿架、鷄總最是炙麻餈。

印糕方形，上印彩粉文字，故名。搗糯米飯中裹豆沙或芝麻白糖餡，捏為扁圓形，曰麻餈，於熬盤上炙食最佳。

二一

漫誇風物到江鄉，蒸藕包來荷葉香。藕粥一甌深紫色，略添甜味入錫糖。

紅糖俗名錫糖，讀若琴，市語曰台書。

二二

兒曹應得念文長、解道敲鑼賣夜糖。想見當年立门口、茄脯梅餅徧親嘗。

小兒所食圓糖名為夜糖、不知何意、徐青藤詩中已有之。以黑糖煮茄子、晾使半乾、名曰茄脯。梅餅如銅錢大而加厚、係以梅子煮熟、連核同甘艸搗碎、範成圓餅、每个售制錢一文。

二三

一盏盛来琥珀光、石花風味最清涼。新煎洋菜晶瑩甚、獨缺稀微海水香。

石花熟槌、揀出貝壳沙石、洗淨煮汁、用井水鎮使冰結、加糖醋食之、為夏日消暑佳品、唯不易消化、多致胃病、後乃以洋菜代之、更為純良、而無復有海州香氣、遂覺索然寡味矣。

二四

居然嘗藥学神農、莫笑貪饞下苦功。玉竹香甜原

好吃、更将甘草润喉咙。
药物中甘草之味人多知者，熟玉竹之肥壮者食之亦甚腴美，可当点心。

兩編後記

今春多雨、驚蟄以來、十日不得一日晴、日唯閱說文段氏注以消遣。偶應友人之屬、錄舊作兒童雜事詩、忽有所感、覺得尚可補充、因就生活部分酌量增加、日寫數章、積得二十四首、定為兩編。舊日所寫多以歲時為準、今則以名物分類、此種材料尚極繁多、可以入錄、唯寫為韻語、雖是游戲之作、亦須興趣乃能成就、下編以下、倘有續作、實當從諸異

日。三十七年三月二十日，雨中记。

一九五〇年二月八日全部抄了

一九六六年写本

儿童杂事诗

二〇二〇年影印

儿童杂事诗手迹二种

《儿童杂事诗》作者手抄过不止一次，一九五四年一月三十日的抄本并曾由香港崇文书店影印刊行，本书二〇一一年版亦曾使用。此本抄成于一九六六年八月十四日，作者九天后因『文革』停止写作，旋即去世，此遂成为现存最后的抄本了。

兒童雜事詩序

今年六月偶读英國利亞(Ed. Lear)的诙谐诗、妙语天成、不可方物、略師其意寫兒戲趁韵诗、前後得十數首、亦終不能成就。唯其中有三數章、是别一路道、似尚可存留、即本編中之甲十及十九、

又乙三是也。因就其内容、分别为儿童生活儿童故事两類、继续寫了十日共得诗四十八首、分编甲乙、総名之曰儿童雜事诗。我本不会做诗、但有时候也借用这个形式、觉得这样说法、别有一种味道、其本意则与用散文無殊、無非

祇是想表现出一点意思罷了。寒山曾说過、分明是说话、又道我吟诗。我这一表所谓诗、实在乃只是一篇关於兒童的论文的变相、不過现在觉得不想写文章、所以用了七言四句的形式、反正这形式並無什么关係、就是我的意思能

吾多少傳達也沒有關係。我還深信道誼之須事功化。古人云、為治不在多言、但力行何如耳。我輩的論或詩、亦只是道誼之空言、於事實何補也。三十六年丁亥八月五日。知堂記於南京。

兒童雜事詩

甲編　兒童生活詩

一　新年

新年拜歲換新衣、白襪花鞋樣樣齊。小辮朝天紅線紮、分明一隻小孛薺。孛俗語讀

如蒲、闽语读作昆、亦是平声。

二

昨夜新收压岁钱、板方一百枕头边。大街玩具商量买、先要金鱼三脚蟾。大钱方盘者名曰板方。金鱼等物皆用火漆所制、每枚值三五文。

三

下鄉作客拜新年、半日猴兒著小冠。待得帰舟双櫓動、打開帽盒吃桃纏。新年、客去倒送点心一盒、置舟中。纸盒圆扁形、如舊日帽盒、俗即以纸帽盒称之。合錦点心中以核桃纏松仁纏为上品、餘亦祇是雲片糕炒米糕之類而已。

四　上元

上元设供蠟高燒、堂屋光明勝早朝。買

持鷄燈無用處、廚房去看煮元宵。

五　风箏

鲇魚飄蕩白雲中、胡蝶翻飛上碧空。放鷂須防寒食近、莫教遇着乱頭风。鲇魚胡蝶皆风箏名、俗稱曰鷂、因风箏作鷂子形者多也、小兒則重疊其詞呼之曰老鷹鷂。

六　上学

龍燈蟹鷂去迢迢、閑進書房耐寂寥。盼到清明三月節、上墳船里看姣〻。兒歌有云、正月燈、二月鷂、三月上墳船里看姣〻。彈词中猶有美多姣語。

七　掃墓

掃墓歸來日未遲、南门〻外雨如絲。燒

鵝
吃罷闲無事，僥遍墳头數百獅。百獅墳头在南门外，埽墓時多就其北向舟会飲。不知是谁家坟墓，石工壮丽，相传云共鑿有百獅，但细数之亦才有五六十耳。

八

牛郎花好充魚毒，艸紫苗鮮作夕供。最是兒童知采擇，船头偶載映山紅。牛郎花色

黄、即羊踯躅，云羊食之中毒，或曰其根可以药鱼。草紫即紫云英，农夫多植以肥田，其嫩苗可瀹食。杜鹃花最多，遍山皆是，俗名映山红，小儿摘花瓣咀嚼之，有酸味可口。

九

跳山扫墓比春游，岁岁乘肩不自由。喜得居然称长大，今年独自坐山兜。

跳山在会

稽东门外、即汉大吉摩崖所在地。兜子轿为山行乘物、两竹杠间缚片板作坐位、绳紮竹木棍为踏镫。二人舁之甚轻便、小儿出行、多骑佣人肩上、姜白石词只有乘肩小女随、可知此风在南宋时已有矣。

十　书房

书房小鬼忒顽皮、扫帚拖来当马骑。额角撞墙梅子大、挥鞭依旧笑嘻嘻。

十一

帶得茶壺上学堂、生書未熟水精光。書房中當日所授讀之書謂之生書。後園往復無停止、底事今朝小便長。

十二 立夏

新裝扛秤好秤人、卻喜今年重幾斤。吃

過一株健脚筍，更加蹦跳有精神。立夏日拜人以防蛀夏，大槩原來於立秋日重拜一回，以資比較，但民間忘其意義矣。是日以陝筍供，以火中燒熟去殼食，盡一株，名曰健脚筍。

十三　端午

端午須嘗吃五黃，枇杷石首得新嘗。黃瓜好配黃梅子，更有雄黃燒酒香。

十四

蒲剑艾旗忙半日、分来香袋与青球。雄黄额上书王字、喜听人称老虎头。

十五　夏日食物

早市饼家二里远、携篮赶上大云桥。今朝不吃麻花粥、荷叶包来茯苓糕。苓俗语谚

作上声、但单呼花苍、则又仍作平声读也。

十六

夕陽在樹時加酉、潑水庭前作晚凉。板桌移来先吃飯、中间蝦殻筍头湯。

十七 蚊烟

薄暮蚊雷震耳聾、火攻不用用烟攻。脚

炉提起團團走，燒着清香路路通。水鄉多蚊，白晝点長條之蚊虫藥，黄昏則於銅火炉中然茅草、豆莢或路路通，發烟以祛之。小兒喜司其事，以長繩繫於炉之提梁，挈之巡行各室。路路通即杉樹子之狀如栗房而多孔，焚之微有香气。

十八　瓜

買得烏皮香撲鼻，蒲瓜鬆脆亦堪誇。負

他沙地般勤意难吃喷香呢殺瓜乌皮吉老香瓜之一种，皮青黑，肉微作碧色，香味勝常瓜。黄瓜柔脆多水分，但不甚甜。冷饭头瓜一名呢殺瓜，以其绵软，食之易噎，但可以饱，有如冷饭，故有是名。沙地种瓜人常用此以作馈物。

十九 夏日急雨

一霎狂风急雨催，太阳赶入黑云堆。窥

窗小脸惊相问·可是夜叉扛海来。夏日暴雨

疾至·风卷云涌·天黑如墨·俗语辄曰夜叉扛海来·胡寿颐洗斋病学草中有此诗题·唯扛字作降·误也·

二十　苍蝇

瓜皮满地绿沈沈·桂树中庭有午阴。蹑足低头忙奔走·捉来我许活苍蝇。

二一　菱角

妇孺都知骏背白，雷门名物至今称。新鲜酒醉皆佳品，不及寻常煮大菱。（菱角通称）

大菱骏背白为四角菱之一种。色青白而拱背，出雷门坂一带。

二二　蟋蟀

啼彻檐头纺绩娘，凉风下地夜初长。闾

心蚰：堦前叫、明日携籠薩破墻。

二三 中元

中元鬼節款精靈、蓮葉蓮華幻作燈。明日雖扔今日点、滿街望去碧澄澄。

北京兒歌云、蓮花燈、今兒点、明兒扔。

二四 中秋

紅燭高香供月華、如盤月餅配南瓜。雖然慣吃紅綾餅、却愛神前素夾沙。中秋夜祀月以素月餅、大者徑尺許、與木盤等大。

附記

兒童生活詩實亦即是竹枝詞，須有歲時及地方作背景，今就平生最熟習的民俗中取材，自多偏於越地，亦正是不得已也。

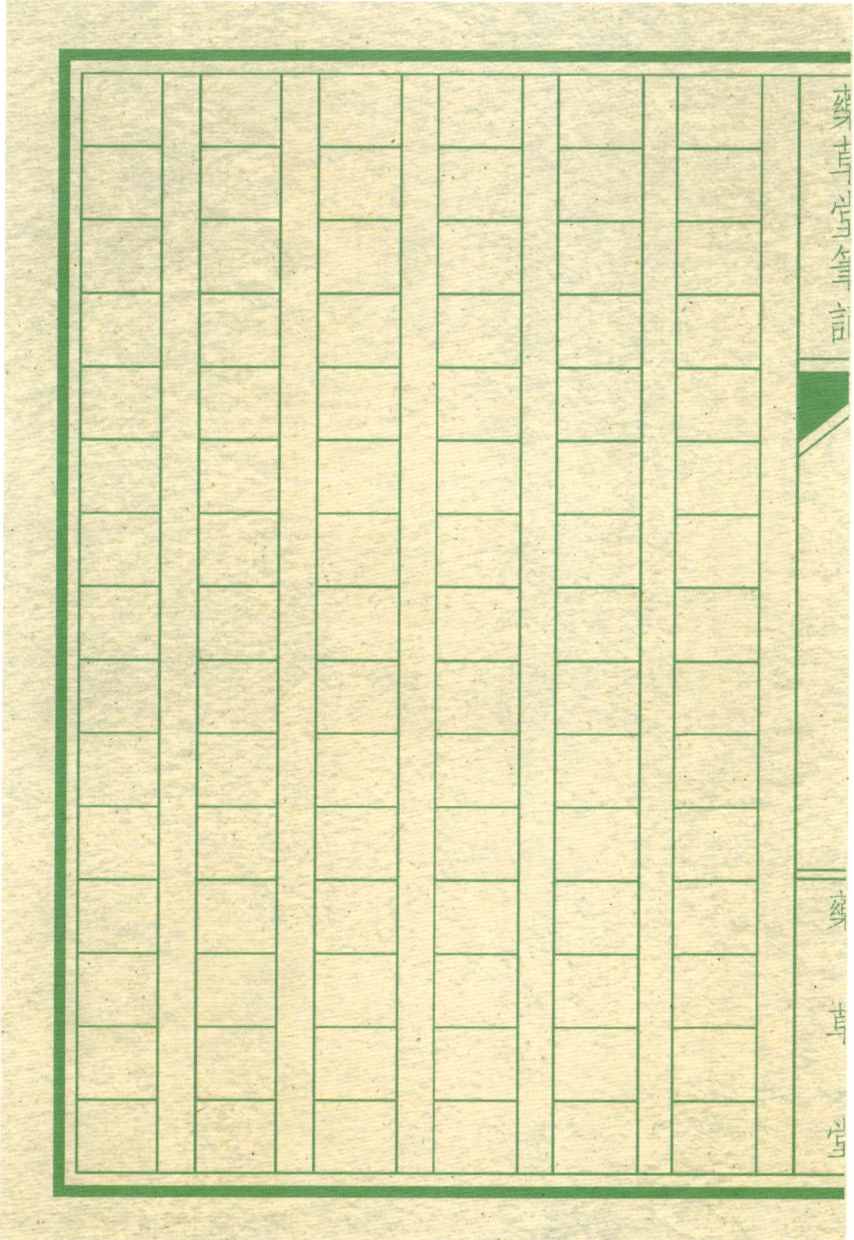

乙編　兒童故事詩

一　老子

當年李耳老而孩、奇事差堪比老萊。想見手持搖咕咚、白頭臥地笑咳咳。

神仙傳云、李母怀胎八十一年而生老子。搖咕咚玩具小鼗鼓也、咕咚讀若骨棟。二十四

孝图常画老莱子手持此鼓、倒卧地上。

二　晋惠帝

满野蛙声叫咯吱，累他郑重问官私。童心自有天真处，莫道官家便是痴。

案惠帝当时已非童年，但取其孩子气耳。

三　赵伯公

小孩陶气平常有、惟獨趙家最出奇。祖父肚臍种李子、竟乎急救老头兒。太平御览引笑林、趙伯公解肥大、夏日醉卧、孫兒以李子內其臍中、趙未之知、後汁出則大惊恐、謂腸爛將死、及李核出乃始釋然。

四 陶渊明

但覓栗犁珠可念、不好紙筆亦尋常。陶

公出语慈祥甚，责子诗成进一觞。黄山谷跋责子诗云，观靖节此诗，想见其人，慈祥戏谑可观也。

五

離家三月旋归去，三径如何便就荒。稚子候门僮不见，菊花叢里捉迷藏。

六 杜子美

杜陵野老有情痴、凄绝羌邨一代诗。偶遂生还还復去、膝前何以慰娇儿。子美羌村云、世乱遭飘荡，生还偶然遂。又其二云、娇儿不离膝，畏我却復去。

七

诗人省识儿烦恼、痴女痴儿不去怀。稚子恒饥谁忍得、凄凉颜色迫人来。彭衙行云

痴女饥咬我、啼畏虎狼闻。百忧集行云、痴儿未知儿子礼、叫怒索饭啼门东。狂夫第三联云、恒饥稚子色凄凉。此在他人诗中、皆不能见到者也。

八

乡间想无杂货店、稚子敲针作钓钩。杜句

但有直钩无倒刺、沙滩只好钓泥鳅。寔泥鳅李亦不易钓、姑趁韵耳。水边有一种小鱼、伏泥上不动、易捕取、俗名步泥拖、不知

其雅名云何也。

九　李太白

太白兒時不識月，道是一張白玉盤。至怪世人疑胡种，蒲桃美酒吃西餐。

太白古朗月行云、小時不識月、呼作白玉盤。今人或有以太白为胡人、亦犹说墨子是印度人之比耶。

十　贺季真

故里归来特陌生，儿童好客竞相迎。乡音未改离家久，赢得旁人说拗声。越人称外乡语皆曰拗声。

十一　杜牧之

人生未老莫还乡，垂老还乡更断肠。试

间共谁争岁月、儿童笑指鬓如霜。未老莫还乡、还乡更断肠、韦庄词句也。牧之归家诗云、共谁争岁月、赢得鬓如丝。

十二 陆放翁

阿哥写字如曲蟺、阿弟说话像黄莺。莺越中俗语读如孩儿杭州人称小儿曰孩国语之七。儿读如茅、浙中他处无此语、或是临安俗语之留遗耶。安娇小嗔不得、流壁同

時後畫窗。放翁書小兒輩到行在詩云：阿綱学书如蚓曲，阿绘学语鶯啭木。畫窗涴壁谁忍嗔，啼呼也復可憐人。

十三　姜白石

縱賞元宵逐隊行，白头居士趁閒身。憐他小女乘肩看，双髻丫叉劇可人。白石观灯词云：白头居士无呵殿，只有乘肩小女随。

十四　辛稼軒

幼安豪气倾侪辈、却有闲情念小童。想是贪馋有同意、溪头卧看剥蓮蓬。稼軒词云：

大儿鋤豆溪东、中儿正織鷄籠、最喜小儿无赖、溪头看剥蓮蓬。

十五　王季重

买得泥人买纸鷄、蘭陵而且手親持。诗

菴畢竟多情味，多買刀槍哄小兒。李季游慧錫西山記云：買泥人、買紙鷄、買蘭陵面具、買小刀戟，以貽兒輩。

十六 清順治帝

掙得清華六品官，居然學士出寒門。胡雛亦自知風趣，蚤出騎驢傳狀元。順治幼年即位，為聊城傅以漸畫狀元歸去騎驢如意圖。

十七　翟晴江

不攻異端衛聖道、但嫌先顶萼香疤。手揣三尺齐眉棍、趕打游僧秃腦瓜。翟山自注

晴江注云、童子時讀書塾中、有僧過其門、乃率衆持棓追擊、其父見而撻之、答曰、吾惡其秃也。

十八　高南阜

粤东名宿高南阜，文采风流自有真。写得小娃诗十首，左家情趣有传人。（诗见集中。有咏女儿嬉戏，如猫蹄儿请姑姑各题。）

十九 郑板桥

门前排坐喜新晴，待泥家人说古今。独爱锄禾日当午，手分炒豆教歌吟。（板桥家书）

以锄禾日当午二诗、教小儿於排坐吃炒豆时唱之。

二十　陈授衣

绝爱诗人陈授衣、善言抛墒折花枝。泥婴面具寻常见、喜诵田家杂兴诗。

陈授衣诗见韩江雅集中、带得泥婴面具回、闻廉风句亦是集中田家杂兴诗之一

二一　俞理初

儿童杂事诗手迹二种

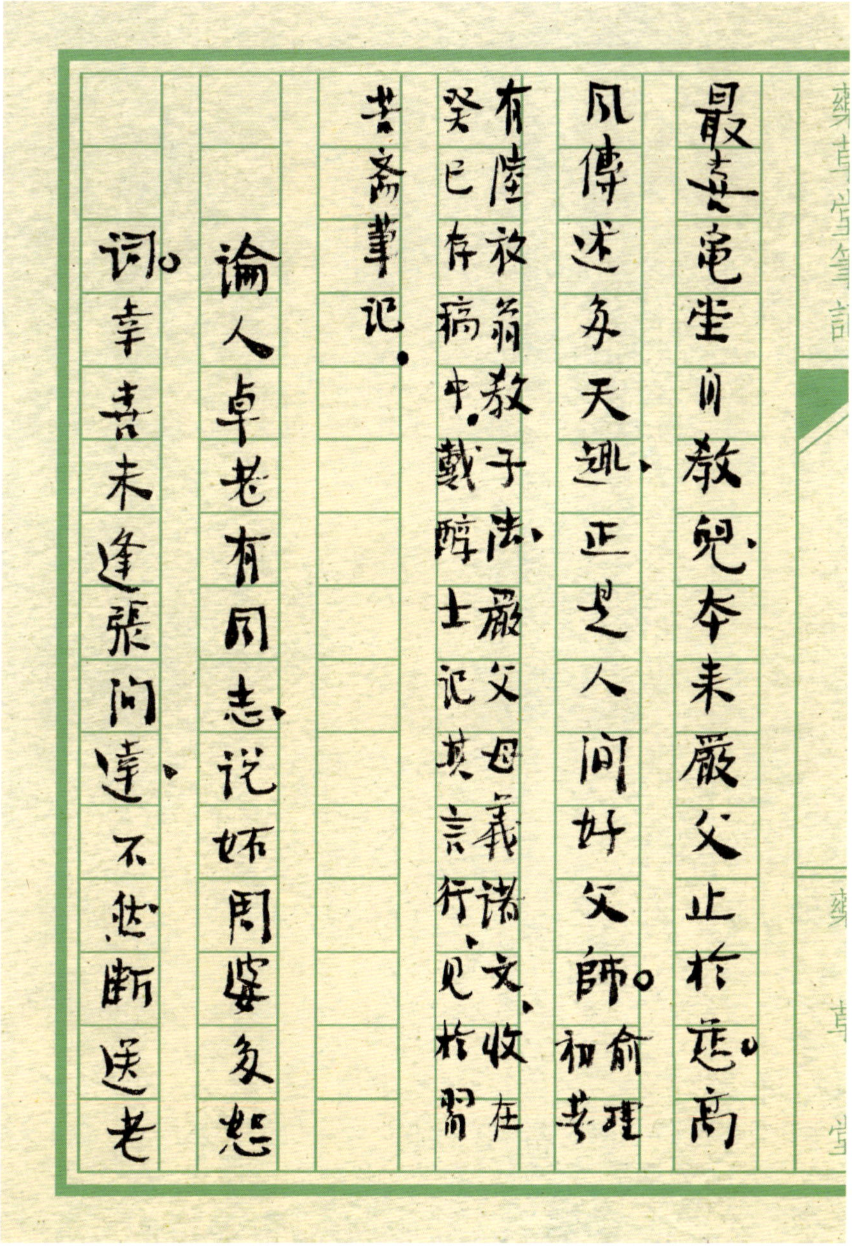
最喜宅坐自教兒，本来嚴父止於慈。高
风傳述身天訓，正是人间好父師。俞理初著
有陸孜翁教子法、嚴父母義諸文，收在
癸巳存稿中。戴醇士記其言行，見於習
苦齋筆記。

論人卓老有同志，说姉周婆多恕
词。幸喜未逢張问達，不然斷送老

头皮。張广弹李卓吾评郎史。案此達即兒童事，因閱睞俞君、斯诗不妨錄於此。

二二　王荼友

不教兒童嚼木札，故將文字示幺兒。古今多少陋生輩、慚愧鄉寧學老師。荼友苏有教童子法、及文字蒙求，皆嘉孺子之事也。案王君为鄉寧知縣、此云学老師，误

也、亦不復改作。

二三　凱樂而

绝世天真愛丽思、夢中境界太離奇。仙根亦有聰明女、不見中原凱樂而。愛丽思漫游奇境記、英國凱樂而著、趙元任譯。

二四　薩洛延

一卷空靈寫意诗、人間喜劇ミ堪悲。街头冒險多憂樂、我愛童光由利斯。人間的喜劇、美國薩洛延著，有柳無垢譯本、不完全，可惜也。著者本是亞耳美尼亞人。

附记

大暑節後、中夜闻蛙声不寐、偶作晋惠帝一詩、後復就记忆所及、以文史中涉及小兒诸事为材、赓续损益、共得二十四章。左家娇女、珠玉在前、未敢弄拙、虽颇自喜、亦殊以为憾事

也。七月二十一日。

儿童故事诗本应多趣味、今所作乃殊为枯燥、甚觉辜负此题。有些悲哀的故事、如孔文举二子、水浒之小衙内、和骨烟、团子卷等、常往来于胸中、而自觉无此笔力与勇力。故亦不

敢漫然涉筆、殊不能自諱为幸为憾

也。九月廿八日校錄後再記。

丙编 兒童生活詩補

一 花紙

兒女英雄滿壁排，攤頭花紙費衡裁。大廚美女多嬌媚，不及橫張八大錘。直幅美女圖，用以貼衣廚門扇上者，名大廚美女。八大錘畫戲裝武士，教人持錘、大小式

樣不一，多係横幅、男孩每喜購之。

二

老鼠今朝也做親、燈籠火把鬧盈門。新娘照例紅衣袴、翹起胡鬚十許根。

老鼠成親

花紙、儀仗輿從悉如人間世、有長柄官燈一對、題字曰午底間。

三

滚镫身手好男儿、画出英雄气短时。莫笑闺中甘屈膝、陈风古有怕婆诗。

花纸有滚灯戏、不详其本事、画作男子伏地、头顶烛台、女人着红抹胸、执指丨麈。诗经中彼泽之陂一篇、牟默人说是陈人怕妇诗、见所著诗切中。昔与故友饼斋谈及、诵涕泗滂沱、及有美一人、硕大且俨语、辄相与绝倒。

四　故事

爱情诙谐有酬響、诺奉神畏妻重聽。大
头天话更番说、最爱捕鱼十弟兄。为笑童话
故事、多奇诡荒唐、称曰大头天话、即今
所谓童话也。十兄弟均奇人、有長脚阔
嘴大眼等名、長脚入海捕鱼、阔嘴一尝
而尽、大眼泣下、遂成洪水、乃悉被冲去。

五

老虎無端作外婆、大囡可奈阿三何。天

教热雨從头降，拽下猴兒着地拖。

老虎外婆为最普通的童话，云老虎幻为外婆，潜入人家，小女为其所啖，大女倘言如厕，登树逃匿。虎不能上，乃召名猴来，猴以索套着颈间，匿上树去。女惶急遗溺，著猴头上，猴大呼热热，虎误听为拽，即拽索急走，及後停步审视，则猴已被勒而死矣。俗语呼猴子曰阿三。

六

幻想山居亦大奇，相從赤豹与文貍。枕头话久渾忘睡，一任簷前拙鳥飛。空想神異境界，互相告語，每至忘寢。兒童遲睡，大人輒舉告之曰，拙鳥飛过了，謂过此不睡，恃精成拙，笨也。拙鳥之一种想像的怪鳥，或只是鳥之拙者，故飛遲歸晚，未可知，但味當時語气，則似以前說為近耳。

七 歌謠

夏夜星光特地明、兒歌啁哳劇堪聽。爬墻蠖蟻尋常有、踏殺綿羊出事情。兒歌一顆星最通行、前後趁韻、接續而成、絕無情理、兩持換過速、深愜童心、末曰蠖蟻會爬墻、踏殺兩隻大綿羊、未可有各種異說、此為其雅馴者也。

八

階前喜見火螢蟲、拍手齊歌夜夜紅。葉

宸

点灯光碧绿、青灯有味此时间。越中方言秋萤为火萤虫。儿歌云：火萤虫，夜夜红。

九

提得蜗牛叫水牛、低吟尔汝意绸缪。上街买得烧羊肉、犄角先伸好出头。北京儿歌、水牛水牛、先出犄角后出头、你爹你妈、给你买的烧肝儿烧羊肉。北方谓角

曰觭角、犄读如鸡。

十 玩具

门前迎会闹哄哄，要货年年样式同。买得纸鸡吹嘟嘟，木头闯虎竹蜻蜓。

城中神佛按时出巡、俗称迎会、每有卖玩具者、率极质朴、以纸屑泥土及羽毛为鸡形、中有竹叶子、吹之有声、名曰吹嘟嘟、大抵只值一文一个。

十一

南鎮歸来謁禹陵，金階百步上層層。手持木碗長刀戟，大殿来聽蝙蝠鳴。

南鎮即会稽山神廟，有碑曰天南第一鎮，春日香火極盛。禹廟殿陛極高，有數十級，俗名百步金階，儀门内兩側皆玩具攤，貨木製盤盌刀槍。殿上多蝙蝠，晝夜鳴叫不息。或曰棲息於禹像耳中，不知其實，想亦當有之也。

十二 虫鳥

胡蝶黄蜂飛滿園、南瓜如豆菜花繁。秋虫未見園林寂、深艸叢中捉綠官。綠官狀如叫蟈：兩翅小、色碧綠可爱、未審闻其鸣声、兒童以为是絡緯之兒、蓋非其实也。

十三

辣茄蓬里聽油蛉，小罩扪来掌上擎。瞥见長鬚红项頸，居然名贵過金鈴。

油蛉状如金鈴子，而差狭長，色紫黑，鳴声嘒嘒，低细耐聽。以鬚長頸赤者为良，云寿命更長。畜之者以明角为籠，丝線络之，寒天懸著衣襟内，可以过冬，但入春以後便难持久，或有寿至清明時節，在上墳船中闻其鳴声者，则绝無而僅有矣。

十四

责得尊称债偿婆，灰黄衣着见调和。淡花摘得供朝食，妨碍南瓜结实多。

络纬小儿呼为债偿婆婆，读如吉介多，或春春。摘南瓜淡花为食料，即雄蕊也。

十五

风舂雨磑乱纷纷，省识微虫叫蠁斯。揭起醋瓶群飞出，雅名学得是醯鸡。

即蠁斯蠛

蠓也，亦以称醯鸡，郭象莊子註已如此说，唯郝蘭皋作尔雅義疏以为非是。

十六

姑恶飛鳴繞暮烟，（朱竹垞句）春宵凄寂不成眠。童心不識歡情薄，聽到啼声总可憐。

越中係水乡，多姑恶鳥，夜中闻啼声甚凄婉。东风恶，歡情薄，见陆放翁钗头凤词。

十七　鬼物

山魈獨腳疑殘疾，罔兩長軀儼阿獸。最怕橋頭河水鬼，擕錢游戲等人來。溺鬼俗稱河水鬼，云狀如小兒，常群聚水边擲錢為戲，兒童通常称為頓銅錢者是也。

十八

目連大戲看連場，扮出強梁有五傷。小鬼鬼王都看厭，賞心只有活無常。目連戲及

大戏中演活無常，均極滑稽之趣，即迎神赛会時亦如此，故小兒輩甚喜之。

十九　果餌

荸荠甘蔗一筐盛，梅子樱桃赤间青。更有楊梅誇紫艷，輸它嬌美水红菱。

二十

嘉湖细点舊名馳，不及糕糰快朵頤。艾

饮印糕排满架、难忘最是炙麻餈。印糕方形、上印彩粉文字、故名。捣糯米饭、中裹豆沙或芝麻白糖饀、捏为扁圆形、曰麻餈、粘类盘上炙食最佳、街头多有担卖者。

二一

漫夸风物到江乡、蒸藕包来荷叶香。藕粥一瓯深紫色、略添甜味入饧糖。仁糖俗名

餳糖讀若琴，市語曰台青，蓋因其出自台灣故歟。

二二

兒曹應得念文長，解道敲鑼賣夜糖。想見當年立門口，茄脯梅餅遍親嘗。

小兒所食圓糖名為夜糖，不知何義，徐文長詩中已有之。以黑糖煮茄子，晾使半乾，曰茄脯，切細條賣之。梅餅如銅錢大而加厚，係以梅子煮熟，連核同甘草末搗碎，範

成圆饼、每个售制钱一文。

二三

一盏盛来琥珀光、石花风味最清凉。新煎洋菜晶莹甚、獨缺稀微海水香。石花熟搥、揀去貝殼沙石、洗淨煮汁、用井水鎮使凍结、加糖醋食之、为夏日消暑佳品。唯不易消化、多致胃病、後乃以洋菜代之、更为纯良、而無復有海草香气、遂觉寡

然寡味矣。

二四

居然嘗藥学神農，莫笑贪馋下苦功。玉竹香甜原好吃，更將甘艸润喉嚨。

藥物中甘艸之味人多知者，熟玉竹之肥壯者，食之亦甚腴美，可當点心。

附記

今春多雨、驚蟄以來、十日不得一日晴、日唯閱說文段氏注以消遣。偶應友人之屬、錄舊作兒童雜事詩、觉得尚可補充、因就生活詩部分酌量增加、日寫數章、續得二十四首、乃定

为丙编。舊日所寫、多以歲時为準、今則以名物分類、此种材料尚極夥多、可以入録。唯寫为韵语、雖是游戲之作、亦须興會乃能成就、丁编以未、備有机缘、當俟诸異日。三十七年三月二十日雨中記。

一九六六年八月十四日重錄一過
凡三月而畢知堂

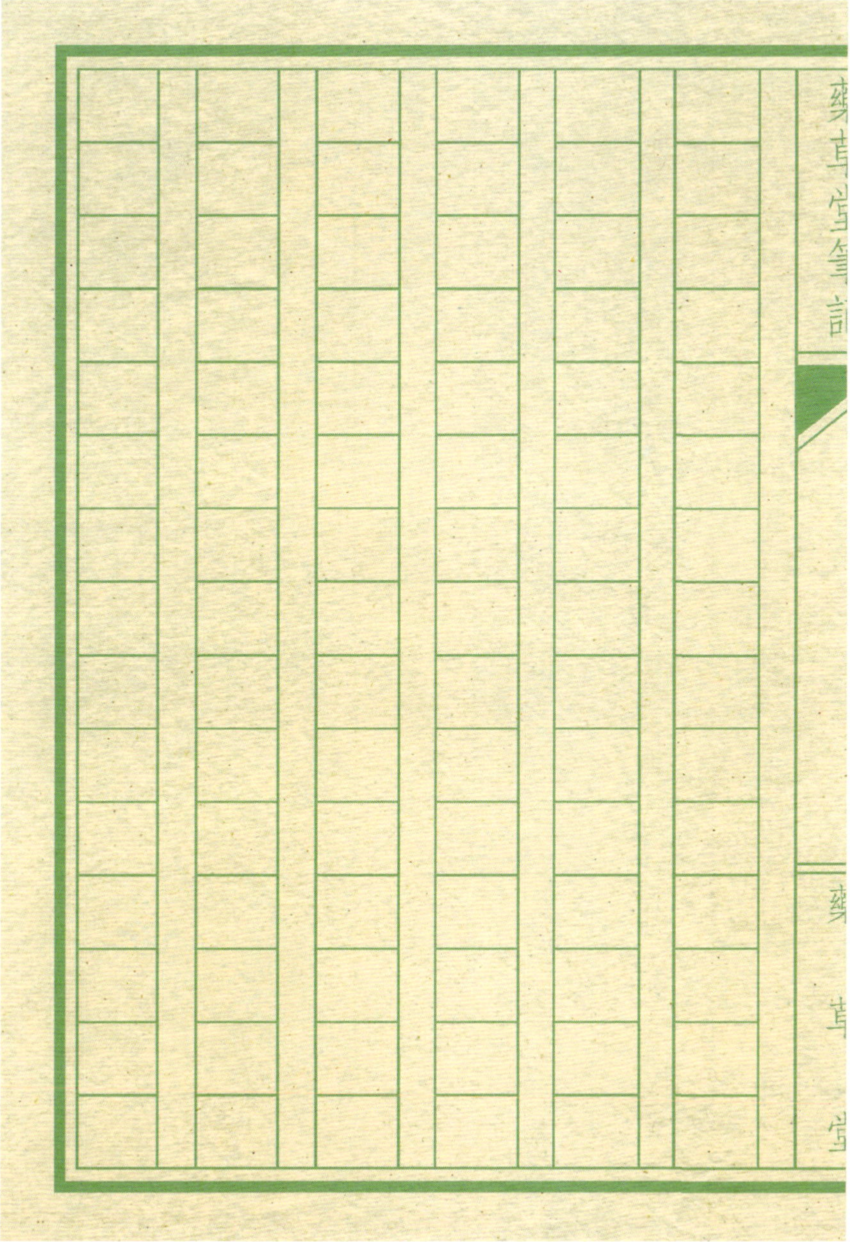